JN116804

Mindfulness in 3D:
Alexander Technique for the 21st Century
Revised Edition　by Peter Nobes

日常にいかす アレクサンダー・テクニーク

すべては
がんばらなくても
できる

ピーター・ノウブス◉著
竹内いすゞ・楠 洋介◉訳

誠信書房

ジェイとチェリー，そしてラタへ

Mindfulness in 3D：Alexander Technique for the 21st Century
Revised Edition
by
Peter Nobes

謝　辞

何年もアレクサンダー・テクニーク界の多くの方々から刺激を受けてきた。今のわたしがあるのは彼らのおかげだ。アイリーン・ストラトン，デイヴィド・ゴーマン，マーガレット・エディス，アン・ペニスタン，ベリー・カンター，ペニー・オコナー，アントワネット・クラネンバーグ，ガリット・ザイフ，ジル・エストラン，フィオナ・クランウェル，セシル・リスト，カシャ・インゲマンソン，長くなるからとても全員はあげられない！

イヴ・サロモン，マリアンヌ・プロムバーガー，マイケル・アシュクロフトとジャン・マライには下書きを読んで有益な助言をもらえたことに感謝。出版社のデイヴィド・ボイル，編集のアンディ・ジャック，挿絵を描いてくれたハンナ・スナイスにも心からの感謝を捧げる。

改訂版への序文

1964年，ルーリー・ウェストフェルトは『アレクサンダーと私〈アレクサンダー・テクニーク〉への道』（邦訳：壮神社，1992年）を出版した。彼女はF. M. アレクサンダーによる最初の教師養成校を卒業してアレクサンダー・テクニーク教師になった第一期生の一人だ。本が出た直後，もう一人の第一世代教師であるウォルター・キャリントンはこんなふうに伝えている。「ガーディアンとデイリー・テレグラフ紙につまらないレビューが二つ載ったことをのぞけば，（ルーリーの本は）あまり注目されなかった」

アレクサンダー関連本のレビューが全国紙に掲載される時代は終わった！

しかし幸いなことに今はもっと多くのレビューをネットで見ることができる。

本書の初版へのレビューはおしなべてとても好意的だった。「アレクサンダー・テクニークが本当はなんであるか，ついに真実を語ってくれる本が出た。こんな本が読めてうれしい」とか「この本を強く薦めます。他にもこのワークを受け入れてくれる人が増えますように。人生が変わります！　このワークの本質を伝えてくれてありがとう，ピーター！」とか。

同様に好意的なコメントの中でも，二人のアレクサンダー・テクニーク教師からもらったものは特別だった。「STATニュース」（主流派のアレクサンダー・テクニーク業界団体STATによる専門誌）のレビューは「本書はすべてのアレクサンダー関連の本棚に置くべき素晴らしい本だ」と書かれていたし，資格取得中の見習い教師がフェイスブックに最初に書いてくれた「おもしろいし知的で新鮮」という感想もうれしかった。

もちろん否定的なレビューもあり，これはこれで価値があった。テクニークについてまわることの多い一般的誤解のいくつかが，少なくとも明白にはなったのだから。

「この本では腰痛もその他の痛みも治りません」とアマゾンの一つ星レ

ビューには書かれていた。一般的に信じられていることとは逆に，アレクサンダー・テクニークは腰痛を治さない。F. M. アレクサンダーの著作には腰痛を治すことはなにも書いてないのに，わたしの本でも書くわけがない。

第１章で触れるように，医学はアレクサンダー・テクニークが腰痛に高い効果を発揮すると結論づけた。しかしそれは施術でも治療でもないのだ。それに，仮にアレクサンダー・テクニークが腰痛を「治療」するのだとしても，本でそれを学ぶのは不可能だ。他の関連書ではいくつか本で学べるかのように示唆しているかもしれないが。

良い姿勢とか筋緊張をリリースするとかいったことは，もしかしたら本で学べるかもしれない。立ち座りのやり方を変えることも本で学ぶことができるかもしれない。しかし**アレクサンダー・テクニークそのものを本で学ぶことはできない。できると書いている本があったら気をつけた方がよい。**

「テクニークをどう応用するかなにも書かれていない……」というレビューもあった。F. M. アレクサンダー本人が書いた本も応用のしかたには触れていない。それどころか彼はこうも言っている。

「常にはっきりと理解されねばならないことがある。それはこのテクニークで培われる正しい感覚体験は，文章や話し言葉で表すのが不可能なことだ。文章や話し言葉で表したとしても，実践的価値はなく無意味だ」

応用のしかたが書いてないと言ってアレクサンダーの本を批判するのは，自転車のバランスの取り方を教えてくれないと言って，サイクリングの素晴らしさを紹介する本を批判するのにちょっと似ている。

なぜ，アレクサンダー・テクニークは本では学べないのか？　アレクサンダー・テクニークはわたしたちがものごとを行うやり方を変えることに関わってくる。そしてやり方（F. M. アレクサンダーの用語では「ミーンズウェアバイ」と言う）を変えたければ，だれかに新しいミーンズウェアバイを教えてもらう必要がある。さもないと，わたしたちはミーンズウェアバイを変えようとして古いなじみのあるミーンズウェアバイを使うはめになり，結局なにも変えることができないのだ。

新しいやり方のなんたるかを知るまで，わたしたちはどうやってそれを探すことができるだろうか？　実際のアレクサンダーのレッスン体験は，見た感じとは違う。こうだろうと予想すると違うのだ。初めてアレクサンダー・テクニークを受けると，たいていの人が今まで経験してきたどれとも異なる体験をする。そういうことがしばしば起こる。

本書で述べるように，「伝統的な」アレクサンダー教師は教えるメソードとして「チェアワーク」*を使う。そのため上手に立ち座りする方法を学ぶのがアレクサンダー・テクニークの核心だと思ってしまう，チェアワークはそういう誤解をいとも簡単にまねく。しかしそこで教えているのは違うやり方で椅子から立ち上がることではなく，心／体（mind/body）を活性化するスイッチを入れる方法だ。これができると，自然な動きになるとか立ち座りが楽になるとかいうことが結果として起こる。

これは文字で書き表すことができない。だから体験するしかないのだ。

どのくらい楽になるかはおそらく文字で表現できるが，どうやってそこにたどりつくかは表現できない。フランク・ピアス・ジョーンズは『変化への自由（Freedom to Change）』の中でF. M. アレクサンダーの弟，A. R. アレクサンダーから初めてレッスンを受けたときのことを書き残している[1]。

> 彼はわたしの座り方にわずかな変化をもたらした（どのような変化だったかあまりにとらえどころがなく，それがなんなのかあとで思い出すことはできなかった）。そして頭のことは放っておくようにと言い，それ以上の指示を与えることなく上向きの動きをうながした。すると習慣的な反応が起こる間もなく動作が完了していて，気づいたらわたしは立っていた。そして不思議なほど快適な感じがした。わたしはその動作の間，完全に見えていた。だれかに動かしてもらうのとは異なり（アレクサンダーはなんら力をかけていないようだった），自分にはまったくわからない作用をもつ一連の反射があって，それによって動かされているのを眺めているかのようだった。
>
> 反射の作用の他，動いている際の時間と空間の知覚のし方は特筆すべき

訳注* 椅子の立ち座りという動作を通じて，アレクサンダー・テクニークの基本を学ぶワーク。

ものだった。動作を終えるのに普段より短い時間しかかからなかったにもかかわらず，逆に遅く感じられ，より制御されているようだった。そしてわたしの頭と胴体がたどった軌跡は，なじみのないものだった。時間と空間が動きのためにもっと利用できるようになり，この二つの次元が突然拡大したような印象だった[2]。

本でこれを学べるだろうか！　ジョーンズが言うように，F. M. アレクサンダーのもう一人のクライアントだったオルダス・ハクスリーの表現を借りると，これは赤と緑が同じ色に見える人にその違いを説明するようなものだ。

するとアレクサンダー・テクニークの本はなんのためにあるのかが問題となる。第一に，本はテクニークが探求するに値する理由を教えてくれる。ウォルター・キャリントンは「テクニーク自体をどうやって説明するかについて，いつも心配しているとしたら残念なことだ。テクニークで対応できる問題の方をどう説明するか心配した方がいいのに」と言った。本書もテクニークそのものの説明は試みない。良い教師が見つかり，何回かレッスンを受けた場合に，人生がより良くなる理由をあらゆる角度からとりあげる。

第二の理由。世の中にはアレクサンダー・テクニークを本で教えることができるとか，腰痛を治療することができると書いた本がある。これこそが「正しいアラインメント**だ」と描いてみせたり，アレクサンダー・テクニークとは姿勢やボディワークのことだと言ってしまう本もある。その手の本はテーブルのお飾りにするには良いだろう。しかしアレクサンダーのワークが教えている心身統一体（mind/body unity）のうち，**心**の部分が抜け落ちているのは致命的だ。わたしがこの本を書いたのは，そうした本に対する回答でもある。

第三の理由はF. M. アレクサンダーの言葉を借りよう。

「常に覚えておかなければならないのは，大多数の人間はとても狭い枠の中で人生を送っていることだ。毎日毎日やることも考えることも同じことの

訳注** 骨格の適切な位置関係を表す医療用語。

くり返しだ。そしてまさにこの事実により，メンタルの力とフィジカルの力をまとめて意識的にコントロールする術を身につける必要がある……」[3]

ほとんどのアレクサンダー関連本は「メンタルの力を意識的にコントロールする術を身につける」ことに触れない。

わたしはこの本で，高次元の意識だとか，アレクサンダー・テクニークがもたらす心と体の覚醒なんてことを言葉にしようとはしなかった。その代わり，日々やることや考えることが，同じことのくり返しになるのをやめるためのアイデアを提供した。自動操縦をオフにして，意識的な選択を始めるためのアイデアだ。あるいはアマゾンの書評の言葉を借りれば「間違っていることすべてを文字通りやめることを学ぶ」方法だ。

自分は完全に意識的だし自分の意思でものごとを選んでいる，とたいていの人は思っている。しかし「もっと」意識的になれる余地があるし，ふだん生活する中で本当の意味で選んでいることは少ないのが実態だ。アレクサンダーのレッスンを初めて受けたとき，そうしたことに気づく。

F. M. アレクサンダーの言葉，大多数の人間が考えることは同じことのくり返し云々にわたしの経験からこのようにも付け加えたい。大多数の人間は毎日毎日やることも考えることも同じ**やり方**のくり返しだ。

スマホが鳴ると，いつも同じやり方で画面を見る。

職場で毎日，同じやり方で猫背になり PC に向かう。

新聞を読むときにページをめくるのはいつも同じ手で，同じ動かし方だ。

考えごとをするといつも同じ表情になる。

通勤ルートはきっちり同じ道だ。

話すときの立ち方がいつも同じだ。

他の車に割り込みされるといつも同じリアクションをする。

特定のアクセントを聞くといつも同じ偏見が頭をもたげる。

これらはすべて習慣でやっていることだ。確かに習慣は必要だ。わたしだってどこかへドライブするとき，道路の白線をまたぐべきか白線の間を走るべきか，いちいち考えたくない。車は白線の間を「自動的に」走らせたいと思う。しかしわたしたちは，ふさわしくない場面でも「自動的に」対処してしまっているところがあり，それによって創造性や力が制限されている。やがてそれは痛みやダメージを引き起こし，命までも危険にさらすのだ。

だれかがラジオで「現実が目に入らない人（negative hullucination）」***について話しているのを聞いた。その話は本当におもしろかった。歩きながらスマホに気をとられて目の前の街灯の柱に気づかなかった。いてっ！　ぶつかってからそんなに夢中になるほど内容のある話ではないと気づいた。

この本を書いてから，道路にはみ出して自転車とぶつかるスマホっ首や，エスカレーターの逆側にかけこんで背中から真っ逆さまにひっくりかえる女性を見てきた。幸いなことにその日彼女は素敵な下着をつけていたが。

わたしはF.M.アレクサンダーの言葉づかいに固執していない。ほとんどの人は「フィジカルな力のコントロール」という言葉を聞いたら，体がすることに関して意識的に決めるとか，考えをめぐらせるとか，新しい選択をするとかいったことを想像するだろう。実際にはそれは，心と体をひとまとめに目覚めさせ，体が自然にものごとを行うのを「じゃましない」よう意識的に選択することを意味する。

「体」の癖は実は体に問題があるのではない。だから体がすることを変えようとしても意味がない。筋肉もそれ自体，単独でなにかしているわけではない。筋肉は神経系がそうするよう信号を発するから緊張する。そしてほとんどの神経は脳から出ている。

PCに向かって猫背になるときは体が猫背になるのではない。あなたが体を猫背にさせているのだ。あるいはより正確には，あなた自身が（心と体が）猫背になることをやっている。だからあなたの背中が猫背になるのを止める必要はない。必要なのは**あなた自身が**猫背をやめる選択をすることだ。

「もっと体とつながりたい」という望みから，アレクサンダー・テクニークに興味をもった女性がメールをくれた。それについて彼女を手助けするこ

訳注*** 実際には見えていないものが見えることをhallucination（幻覚）と呼ぶが，逆に実際には見えているはずのことが見えないことを，ここではnegative hallucinationと呼んでいる。

とはできる。しかし彼女が想像しているのとは違うやり方になるだろう。彼女の心と体は**すでにつながっている**からだ。心と体はもともと一つだ。学ばなければならないのは，それらを切り離して考える習慣をやめることであり，そのための新しい選択をすることだ。そして新しい選択は思考の中でなされるものであり，体がやることではない。

習慣から脱し始めてしばしば感じるのは「制御不能（out of control）」な感覚だ。実際にはもっと自分自身のコントロールができているのだが。未知の世界に踏み込むというこの感覚は恐怖になり得る。自転車の乗り方を覚えるときと同じで，感覚的体験は言葉では説明できない。そこでは自分自身の無意識の部分への信頼が問われる。

アレクサンダー・テクニークの初体験は，しばしばほとんどの人が今まで体験したことのないものになると先に書いた。わたしの学校を卒業した先生がこの本のことを「新しい世界を地図に描き出してくれる。その世界に連れて行くことはできないけれども，そこにそういう世界があって，どういう形をしてるか，どんな可能性があるのか，感じさせてくれる」と評した。それを見てわたしは，かつての師の一人が4半世紀以上前によく言っていたことを思い出した。アレクサンダーのワークは未知の領域へ導くものだと。

その領域は，わたしたちが日々同じことをして同じことを考えるのをやめたところにある。良い姿勢で腰痛のない世界もそこにあるかもしれない。しかしもっと大切なことは，わたしたちが完全に意識的であり，自分自身の人生の責任をとることだ。

この本を読んで自分のために行動を起こし，良い先生を見つけてほしい。

目　次

改訂版への序文　v

序　論 1

第1章　すべてはがんばらなくてもできる 5

第2章　姿勢についての短い考察 11

第3章　がんばりに満ちた生き方 13

座る ／ 立つ ／ 動く ／ 努力を手放す

第4章　解決を求めていらいらする 21

わたしたちは自分が思うような存在ではない ／「正しい」形に当てはめようとすること

第5章　あなたは自分が思うようには見られていない 29

第6章　わたしたちが行うすべてのことに対するモード 34

第7章　年齢は自分で決めるもの 44

第8章　あなたの「上」を再発見しバランスを見つけよう 51

力のいらない上向きの方向性 ／ バランス ／ ふさわしくないところで曲げてしまう

第9章　選択の自由 65

自動操縦をオフにして目を覚ますこと ／ ストア派，実存主義，ライヒ，そしてアレクサンダー・テクニーク／アレクサンダー・テクニーク：パブに行く人のための禅／アレクサンダー・テクニークと幸せ探し

第10章　変化を受け入れること……92

なぜ変化は難しいのか？／未知を受け入れること／本当に変わる必要のあるもの／ゆっくりと意識的に：変化のプロセス／アレクサンダー・テクニークの先生を選ぶには

F. M. アレクサンダーについて　108

もっと知りたい方のために　109

日本でレッスンを受けるには　110

文　献　112

ピーター・ノウブス・ワークショップ体験記　114

訳者あとがき　116

序　論

私のワークは思考（thinking）とはなにかを発見するためのエクササイズである。
フレデリック・マサイアス・アレクサンダー

初対面で職業を聞かれ，アレクサンダー・テクニークを教えていると答えると気まずい瞬間がおとずれる。たいてい相手の反応は二つに一つだ。

「何ですかそれは？」または「あー，良い姿勢のことですね！」。

アレクサンダー・テクニークは姿勢のことではない。と言いつつアレクサンダー・テクニークがなんなのか，わたしも一言では言い表せない。4半世紀にわたってアレクサンダー・テクニークを教えることで生計を立ててきたにもかかわらず。

今ここに生きる技術？

動きのマインドフルネス？

現代の禅？

アレクサンダー・テクニークはボディワークとかヨガ，ピラティスによく結びつけられるけど，むしろ禅やストア哲学，実存主義の方に共通点が多い。

なぜ誤解されるのかはわかる。アレクサンダー・テクニークについて書かれた多くの一般書は読みやすい。ところがF.M.アレクサンダー本人が書いた本は難解なのだ。どうしてこうも違うのだろう？　アレクサンダー・テクニークの一般書とアレクサンダー本人が書いた本は，同じことを書いたものではないからだ。一般書は主に解剖学や姿勢について書かれている。ところがアレクサンダーが書いた本は，人類の次なる進化の段階と彼が思ったなにものかを言葉に置きかえようともがいている。進化がどのように働くのかアレクサンダーが実際には理解していなかったことは，彼の文章を読めば明らかだ。それでも彼にはわかっていた。自分の発見が画期的で，人生をとてつもなく大きく変えるものであることを。

アレクサンダーが書いた本で一番とっつきやすい『自己の使い方』には「姿勢」という言葉は一度も出てこない。この本の各章のタイトルは「ボールを見続けられないゴルファー」とか「吃音者」といった具合いだ。もっと初期の著作である『個人の建設的意識的コントロール』では「過度の恐怖反射，感情がコントロールできないことと思い込み」，「精神と肉体のバランス」，「自分自身を知る」，「記憶と感覚」，「ストレスや緊張に関する複雑な議論」，「感覚認識と幸福の関係」といった具合い。明らかに解剖学のことなんか語っていない！

過去 25 年にわたり，わたしはアレクサンダー・テクニークを使いながら，あらゆるやり方で人が自分の人生を変える手助けをしてきた。自分自身を知ることや思い込みを手放すこと，そしておそらくもっとも大切なこととして，どうしたら幸福になれるかといったことをやってきた。確かにたいていの人は姿勢も良くなった。でもそれは副次的効果だ。

わたしの人生もアレクサンダー・テクニークで変わった。もともと人と目も合わせられないくらい恥ずかしがりだったのが，自分に自信をもてるようになった。30 代になってアレクサンダー・テクニークを学んだのが助けになったのだ。よく知っている人の前でも，20 人の参加者にプレゼンするとなったら怖くてふるえていたものだ。それが舞台を楽しみ，国際会議でタレントショーを披露するパフォーマーのようになった。

こういうのは姿勢とは関係ない。体とも関係ない。

アレクサンダー・テクニークは解剖学のことでもない。わたしたちの苦痛や痛みや問題もほとんどは解剖学とは関係ない。

これから見ていくように，苦痛や痛みや問題は，わたしたちがものごとを行うやり方によるのだ。この本によって，自分がどのようにものごとを行っているか読者が考え直すきっかけになればと思う。

意識的，つまりマインドフルであるときだけ，自分がものごとを行うやり方に気づいて新しい選択ができるようになる。「自動操縦」状態ではあなたは変わることができない。つまり変わるためには自動操縦のスイッチを切って，いっそうマインドフルになることが必要だ。アレクサンダー・テクニークは体にもっと気づけるようになることではない。体とのつながりを取り戻すこととも違う。だって**あなたの体はすでにあなた自身**だから。それは心と体を統合することであり，本来のあなた自身でいることであり，今ここを生きることだ。

アレクサンダー・テクニークを学ぶと，精神的にも肉体的にもたいていのことは変な力みや労力なしにできるようになり，さらに上手にやれることに気づく。あなたは楽で，自由で，生きやすい感覚になるだろう。その感覚は幼少期以降経験したことのないものかもしれない。見た目にもそれが現れるし，幸福感も増す。さあ，体の新しい自由を見つけよう。そしてより意識的になった心が3次元の世界を生きられるように。

第1章

すべてはがんばらなくてもできる

どれだけ細かく正確に定義しても，アレクサンダー・テクニークはとらえ切れない。というのもそれは新しい体験を含むものだからだ。その体験によって人は固定化した習慣の支配から少しずつ自己を解放する。

マイケル・ゲルブ

（アレクサンダー・テクニーク教師，クリエイティビティ・アンド・イノベーションの著名な講師・考案者）

すべてはがんばらなくてもできる。

立ち上がるのに力はいらない。

ランニングも苦しくない。

階段をのぼっても疲れない。

机に向かって体をすっと起こして座ったら楽な感じだ。

本当かって？

あらゆることがあまりにも楽なので，まるで肉体があることがわからないくらい。

考えることだってそうだ。

なにかを決断することも。

自分で生き方を選んできた人は，自分のサイズや体形や見た目が好きだろう。

そういう人は幸せだ。

あなたはそんなふうに生きてこなかったかもしれない。でもそうありたいと思うなら，アレクサンダー・テクニークを学ぶべきかもしれない。

新しく入ったクライアント全員に，アレクサンダー・テクニークを学びたくなった理由を尋ねることにしている。「幸せになりたい」と言った人は今のところゼロだ。「がんばらずにすむようにしたい」とか「もっと選択肢をもちたい」とか「もっとマインドフルになりたい」というのもない。見た目を良くしたいから学ぶという人が時折いて，ごくまれに「初対面の人と会うときの緊張をどうにかしたい」といったおもしろい理由を挙げる人がいる。

一人だけこういう人もいた。「アレクサンダー・テクニークは認知行動療法のようなものだと聞いたので勉強したいと思いました」。確かに認知行動療法とは類似点がある。だから印象に残る回答だった。そのあとしかし，彼はこう言った。「でもネットで調べたら，姿勢のことって書いてありました」

ほとんどの人は首や腰が痛くてわたしのところに来る。そして原因は姿勢が悪いからだと彼らは考えている。興味深いことに，たいていは他の選択肢をすべて試してから来る。医者も理学療法もオステオパシーも経験済みなのだ。ヨガやピラティスもお試し済みだ。

アレクサンダー・テクニークは彼らの役に立つのか？　答えはイエスだ。ひどい腰痛で座っていられず，スタンディングデスクで仕事をしているクライアントがいた。彼女は他の方法すべて試してからわたしのところに来て，4回のセッションで快適に座れるようになった。

『ブリティッシュ・メディカル・ジャーナル』はアレクサンダー・テクニークの効果について長期間研究した結果こう結論づけた。エクササイズとアレクサンダー・テクニークの組み合わせは「プライマリ・ケアで診る腰痛治療としてはもっとも効果的でコストパフォーマンスに優れた選択肢と考えられる」。

わたしたちは実際のところ腰痛を「治療」しない。でもそういう人は，最初からアレクサンダー・テクニークに来ていたら，労力と時間とお金を節約できるかもしれない[4]。

だれもが知っている現代人類の代表的サンプルを見ることで，姿勢と痛みの問題について考えてみよう。スマホっ首だ（Phone Zombie）。スマホっ首が

わたしの関心をひきつけてやまないことが二つある。極端にひねった体と注意力のなさだ。彼らはスマホ画面の文章を読み始めると，道の真ん中で突然死する。そのため他の通行人のじゃまになる。あるいは画面に目をくぎづけにしたままお店から出てきてお互いにぶつかる。

メトロの最寄り駅でのこと。階段の途中で前の人がいきなり立ち止まった。顔に絶望と苦痛の表情を浮かべ，スマホにのめり込まんばかりの体勢。訃報でも受け取ったに違いないと思った。追い抜きざまに見えたのは，スクラブルというゲームで次の手を打つところだった。

スマホっ首がどれだけ心ここにあらずか話す前に，彼らの姿勢について考えてみよう。膝と股関節はロックされ，過度に腰椎が曲がり，首はひどく傾いている。痛くてもなんの不思議もない！　わたしが同じような立ち方をしたらほんの30秒で膝も股関節も腰も首も痛くなるだろう。あんなふうに首を直角に傾けるなんてわたしには無理だ。スマホっ首に「良い姿勢」を教えねばならないとしたら，耳，肩，股関節，膝，くるぶしといった指標点が，すべて一直線上になるようそろえてもらうかもしれない。でもそんなことをしたら固く突っ張って緊張を感じるだろう。それにスマホから8インチ（約20センチ）目を離しておくには，あらゆる努力をはらって腕を上げておく必要があるだろう。だけど人生はもっとシンプルなはず。

先日レストランに行ったら女の子が二人座っていた。14歳の姉と6歳の妹だった。妹は体がすっと軽い感じで，たやすく楽々とはずむようだった。しかし姉の方は重たげにだらっとしていた。姉の背中がまだ痛くなかったとしても，そうなるのは時間の問題に見えた。もしご両親が理学療法士のところに連れて行ったら，「姿勢を良くしなさい」とか「コア筋をきたえなさい」と言われ，正しい座り方を指導されるだろう。体を起こしておくためにどの筋肉をきたえるべきか，そして例の指標が一直線になるように仕込まれるかもしれない。

もしかしたら彼女自身そういうことを勉強したいと思うかも。でもそのやり方で座るには大変な労力が必要だ。だれも見てなかったら確実に，またぞらっと体をもたれさせるようになる。妹にはまだ残っているような，軽々とはずむような感じを彼女が取り戻せるなら，話はもっとシンプルなのだが。

そう，取り戻せる。6歳の子のようにすっと楽に体を起こしておくことをスマホっ首は学べないのだろうか？　それが学べるのだ。アレクサンダー・テクニークを通じて。

他にもある。自然な動きだ。自然な動きは座ったりスマホを見たりといったことにだけ使えるのではない。わたしの自宅からロンドンマラソンのスタート地点までは1マイル足らずだ。毎年，4万人もの人の波がうちの街区の道路を走り過ぎる。それを眺めていたら1時間以上かかる。そりゃ壮観だ。でもはっきりわかることもある。4万人がありとあらゆる違うスタイルで走るのだ。

身軽に楽々と走る人もいれば，苦しそうにがんばって走る人もいる。顔をしかめて地面に目を落としつつ完走や自己ベストをひたすら目指す人もいれば，まわりを見ながら楽しそうに走る人もいる。『ランニングを極める――アレクサンダー・

テクニークで走りの感性をみがく』（邦訳：春秋社，2009年）にはこうある。「たくさんの異なるやり方で動くことができます……中には笑っちゃうようなのもありますが……」[5]。動きに個人差があるのは当然すぎる話だ。わたしたちはそれがまったく自然なことだと思いたくなる。でも本当にそうだろうか？

4万頭のシカが目の前を走り過ぎたらどんなだろうと想像する。あるいはチータとか？　あるいはキリンとか？

動物なら一つの動き方しかしないのではないか。

わたしの母は晩年になって目がほとんど見えなくなった。彼女は顔や体形，あるいは着ている服では友人たちを見分けることができなかった。しかし動き方を見ればそんな視力でも遠くにいるのがだれか言い当てることができた。

ネコは遠く離れると動き方で個体を見分けることはできない。ゾウも遠く離れると動き方で個体を見分けることはできない。シカもそうだ。白ガンも灰色グマも。

動物の場合はネコにはネコの，ゾウにはゾウの，シカにはシカの動き方があるだけだ。人間だけ，特に大人の人間だけが，遠くからでも動き方で一人一人見分けることができる。なぜだろう？　わたしたちは自然な動き方を忘れてしまったので，どうやって動いたらよいか，やり方を必要とするようになった。

やり方の中には無意識にやっていることもある。14歳の子がレストランでだらっとしていたのがそうだ。目をスマホから8インチ離しておくために背中を変に反らせるのもそうだ。意図的に選んでいるものもある。肩で風を切って歩くときみたいに。コーチングのマニュアルで見かけるものまである。

ランニング関係の本をパラパラめくっていたら，8ページにわたって「走り方」が書かれているのを見つけた。足を運ぶときの姿勢，腕の置き場所，呼吸のタイミングといったことだ。賭けてもいいが，オリンピックやマラソンのケニア代表はこういうのを読む必要がなかっただろう。ちなみにケニア勢は2012年のロンドン・オリンピックで11人がメダルを取り，また最近のロンドンマラソンでは毎年優勝している。

『カラハリの失われた世界』（邦訳：筑摩書房，1993年）という本で，ローレンス・ヴァン・デル・ポストはこう書いている。エランド（レイヨウの一種）の群れを追うブッシュマンの一団，そのあとに彼のランドローバーが続いて，この追跡がまる一日続いていた[6]。「マラトンの勝利をアテネに知らせるため走った古代ギリシャ人にしか彼らのような走り方はできない」

だれがそんな走り方を教えたのだろう？　教わる必要のない自然な走り方がそこにあるようだ。

結局のところわたしたちはみな，幼いころすでに走り方を知っていたのだ。もしイギリスで自然な走り方の好例を見たいなら，十代より前の体形なんかまだ気にしない女の子が参考になる。あるいは男の子でもよい。ただし「かっこいい」とか「強そう」など，見た目や感覚で走り方をいじくる前でなければならない。レストランで見かけた例の6歳の子はたぶん，軽々とした自然な走り方をするだろう。そして姉の方がそういう走り方をしないのはほぼ確実だ。

自然な走り方を取り戻すことはできるだろうか？　アレクサンダー・テクニークを使えばできる。クライアントの一人がこんなメールをくれた。「アレクサンダー・テクニークを使って走ってみたことを先生に言わなきゃ。どう言えばいいのか，まるでケニアの選手みたいに走れた，としか言いようがないんだけど」

一種類の自然な動き方がある一方で，千種類もの不自然で非効率的で魅力に欠ける動き方がある。自然なやり方とはなんだろう？　それは魅力的で効率的なのだと思う。「コア筋の強化」もなく「肩を後ろに」もなく，ただ上品な動きと輝く瞳があって体はとても楽。自然なやり方はもともとそこにあったのに，まだ知られていないだけだ。

スマホっ首でも，学べば自分を解放することができる。すっと楽に体を起こしておくことができる。自分が見やすいように，ふわっとスマホを持ち上げることができる。そして，そうしながらもまわりに気がついていられるようになる。

第2章

姿勢についての短い考察

私のワークは体にはたらきかけるものだと思われている。しかしおそらくは，かつて発見されたものの中で，もっとも思考にはたらきかけるものだ。

F. M. アレクサンダー

アレクサンダー・テクニークをやると姿勢が良くなる。でもそれはヨガやピラティスでも同じだ。理学療法やオステオパシーも姿勢改善をアドバイスできる。あなたの母親だってこう言うことはできる。

「まっすぐ立ちなさい！　肩を引きなさい！」

しかし，どうしてそんなに姿勢が気になるのだろう？『カラハリの失われた世界』の写真を見れば，ブッシュマンは姿勢を気にする必要がなかったことが明らかだ。爆破された街から逃げのびて地中海を渡ろうとする難民も姿勢なんか気にかけない。「良い姿勢」のことを心配するのは先進国のぜいたくなのだ。

レストランで見かけた6歳の女の子は完璧な姿勢だった。しかし興味深いことにわたしたちは姿勢をそういうものとは考えない。「あなたのお子さん，完璧な姿勢ですね！」とか「見てよ，あのおちびちゃんの姿勢の美しいこと！」とは言わない。アレクサンダーの先生は姿勢（posture）より「身のこなし（poise）」という言葉を好む。しかしそれでも，子どもたちに備わるそれを言い表してはいない。そのための適切な言葉がないのだ。それは，軽く，バランスがとれて，生き生きして，しなやかで，ふわっとして，がんばる必要がなく，どこにでも動けて，エネルギーがあって，柔軟で，流動的で，優美な，なにかだ。

悲しいことに 14 歳の子の方にはそれがなかった。彼女は明らかに姿勢が悪かった。それだけでなく，軽さもバランスも活気もしなやかさもふわっとして楽な感じも動きもエネルギーも柔軟性も流動性も優美さも失っていた。堕落するとはこういうことかとときどき思う。しかしどこへ落ちるのだろう？　天国から地獄へか？

こうなって初めて姿勢が問われることとなる。正しいと思う形に自分自身を当てはめようとして作戦を練る。あるいはボディワーカーに助言をもらいに行く。体のどことどこをそろえるとか，きたえるとか，引き締めるとか，しぼり込むとか，アドバイスにしたがって体をまっすぐにするだろう。しかし 6 歳のころ備えていた他のものまで全部，それで取り戻せるなんて奇跡は起こらない。

大人がやる「良い姿勢」は子どものそれを真似しようとしている。でも子どもと比べたら動きがまるでない。子どもがすっと立っているときに近いものはできあがるだろうが，子どものころ以来失われた柔軟性，がんばらなくていい感じ，動きやすさやふわっとした感じやバランスは損なわれたままだ。

アレクサンダー・テクニークのユニークな点は，良い姿勢を教えないことだ。代わりに，子どものころ備えていたこれらの性質すべてを取り戻す方法を教える。そこには自由と活力，心と体の知恵がある。そしてそれはほとんどの大人が体験している自分自身やその生き方とは大きく違う。

心と体（mind and body）だって？

そうだ。まず体に関する話をいくらかして後に，心が変わるとはどういうことか踏み込んでいこう。

第3章

がんばりに満ちた生き方

その理屈では一見したところこういうことになるのだが？　と聞いてみたくなる。男性も女性も健康に良い立ち方をすべきだが，そのための正しいポジションでは緊張を維持する必要があると。そんなことはばかげている。

F. M. アレクサンダー

6 歳から 14 歳になるまでにわたしたちになにかが起こっている。なぜこの 8 年の間に，自然体でがんばる必要のなかった人が不自然にがんばらなければならなくなるのだろうか？　なぜ恵みに満ちてすっとしていた子どもが，みじめでバランスも魅力も失った大人になるのか？

大人の方が大きいし重いというのは理由にならない。次ページの絵は生後 18 カ月ころのわたしの息子がテレビを見る姿だ。彼の方が体の大きさとの対比ではスマホっ首よりはるかに頭が重い。なのに体の上で楽にバランスをとっている。

座　る

自然は努力せずとも体を起こしておくシステムをわたしたちに与えた。脊椎の棘突起（脊椎の後ろでこぶみたいに突き出た部分）をつなげる筋肉のネットワークは，わたしたちがそれを許せば，体を上方向に保持する。脊椎は自立している。それは筋肉の作用で楽に伸びていくのだ。そしてその筋肉は不随意で作用し，きたえることもエクササイズすることもできない。人に

よる違いはなく，あなたもそうなっている。ぐしゃっとした姿勢の人の体にも軽いスプリングのような脊椎が備わっていて，解放されるのを待っている。

わたしなら2～3分あれば，ほとんどの人に体を**楽に起こしたまま**立ったり座ったり動いたりしてもらうことができる。普段どんなに重そうに体を丸めていても関係ない。姿勢がぐしゃっとならないように気をつけ状態で仕事をしてきた人，あるいは「コア筋」なるものを信じて，きたえることに多大な時間と労力をかけてきた人には，青天の霹靂かもしれない。ほっとしてゆるむことで泣いてしまう人もいる。

地面から積み上げられたブロックの山というより，骨格すべてが頭蓋骨からぶら下がるような感覚がそこにはある。わたしのスタジオでは，力のいらないこのような状態を「アップ（UP）！」と呼んでいる。

子どもの絵をもう一度見てみよう。体を起こすために，特になにかしてるわけでないのは明らかだ。彼は浮かぶように体を起こして（UP）いる。そしてこれはアレクサンダーの先生が同じようなやり方で座っている絵。力みがない。ほとんどの人は経験したことがないように軽い。たいていの人はあの姿勢の形を作ろうとして筋力を使ってしまう。わたしがすっと体を起こして座っているのを見て，同じように体を起こしていられずサボってる気がして嫌だったという人がいた。サボってる⁉　アレクサンダー的に体を起こして座る方が，ぐ

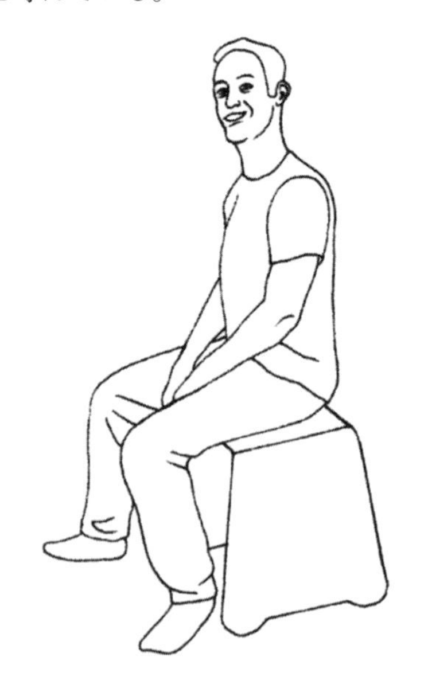

しゃっと座るより楽なのに！

立　つ

頭の端っこがグレーになりかけた51歳のころ，電車で立っていたら観光とおぼしき若い日本人女性に席をゆずられた。彼女はとても礼儀正しい人だったけれど，わたしは笑顔で「ありがとう，でも大丈夫」と言った。座る必要がなかったのだ。立っていても楽なので。

でもほとんどの人はそうではない。通勤電車で立っていると，ホームで押し合いへし合いし，座席を確保するために最寄りの車両へかけこむ人を見る。勝者は座席に「ゆったり」とかまえ敗者は立ちっぱなしだ。壁にもたれて座っている人をうらめしそうに見下ろす。

立っていても座っていても大人はたいてい次の二つのどちらかに行き着く。「だらける」か「気をつけ」だ。わたしの知人は究極に「だらける」方だ。立っていてもほぼ直角に折れ曲がっていた。こんな姿勢じゃいけないと本人が思うと，よっこらしょと体を起こす。しかし長い時間は続けられない。そんな人にとっては体を起こしておくことがかなり疲れるのだ。医学部の学生も言ってたっけ。姿勢の崩れに気づいたら体を起こすようにするけ

ど，たった30秒しか続かないと。

たいていの人は「だらける」か「気をつけ」の二つしか選択肢がないと思っている。でも第三の選択肢がある。それは上品で，自然で，力がいらない方法だ。

この絵は白髪の老人になったアレクサンダーの写真がもとになっている。彼の生前にスマホは存在しなかったが，代わりに名刺を見ながら上品に浮かぶように立っているのがわかる。

自然で力のいらないやり方を難しく感じる人もいる。なぜなら間違ってると感じられるからだ。良薬口に苦しという思い込みにとらわれて，彼らはジムに行って姿勢を直したがる。そしてウェイトトレーニングやエクササイズをして腰痛を治そうとする。なよっとしてうわついたことはしたくないのだ。彼らにとって力がいらないことは，そう，**やりがい**がない。痛みはなくなるかもしれないが**正しい**と感じられない。なぜなら力を入れないとなまけてる気がするから。

「気をつけ」にはもう一つ問題がある。わざわざ**がんばって**まっすぐにしないと体を起こしておけないとしたら，**どのくらい**まっすぐでいるべきかを決めなければならない。そこでわたしたちの多くは選んでいるのだ。自分がそうありたいと願う体のイメージを。ところがそうしたイメージの中にはとてもおかしなものも含まれる。これについては次の章でもっと話そう。

わたしたちの多くは「正しい」形にしようとするがこれは困難をともなう。なにが「正しい」かどうすればわかるだろう？

見た目の正しさ？　それを維持するのに苦労して突っ張ってなければならないとしてもそう思えるだろうか？

好きな有名人の立ち方？

しっくりくるように**感じられる**もの？　体が起きていなくてもしっくりく

ることがあるけど。

ピラティスの先生が指導するようにコア筋を働かせる？

ヨガの先生が言うように地に足をつける？

理学療法士がすすめるようにアラインメントを整える？

強くて男らしいと感じられるもの？

それともイカしてるもの？

お尻が大きく見えないもの？

胸が一番美しく見えるもの？

逆に胸の大きさを目立たせないもの？

確かなのは人生がもっとシンプルだってこと。答えはただすっと立っていればよいということだ。ただし動きの中には地雷がたくさん隠れているから気をつけてね。そんな地雷の数々をこのあとすぐ見ていくけど。

体をまっすぐにするために多くの人がやっていることは，わたしには「やり過ぎ」に見える。おかしなことに，わたしたちは「軍曹」みたいな立ち方が模範だと思い込んでいる。1910年にはアレクサンダー自身すでにこのことをこきおろしている。彼の著作の一つに掲載された写真がこれだ。彼が言ったように，これが模範的な立ち方だという考えはばかげている！

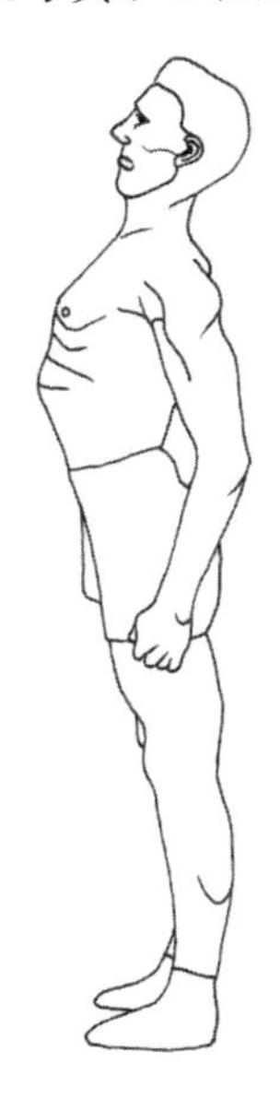

多くのクライアントが腰痛をきっかけにわたしのところに来る。彼らはまっすぐをキープするためにあらゆる努力をはらってきた。あるいはだらっとした姿勢でやり過ごしてきた。やり過ぎの軍曹タイプとだらっとしたスマホっ首，両方とも首や腰を痛める理由が本書の読者ならわかるだろう。

「だらっとした人」は痛みの対処法が気になり，軍曹タイプは正しい姿勢をしてるのにどうして痛むのかと不思議でならない。どちらも起こっているのは似たようなことだ。

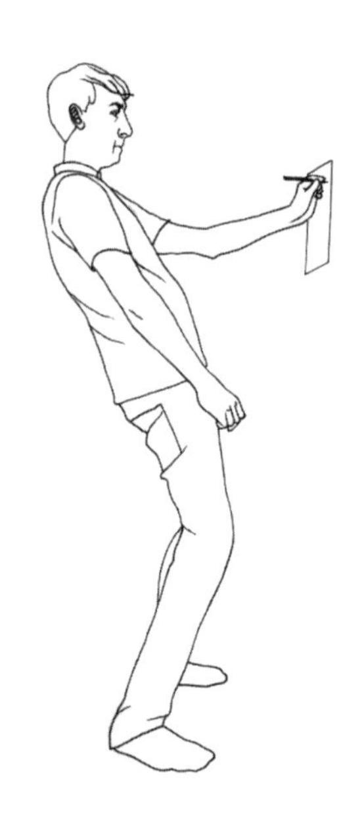

動　く

わたしがまだおそらく余計ながんばりをしていなかった10歳のころ，学校の先生がこんなふう（左図）に黒板に字を書いていたのを覚えている。

それを見て，自分の書き方（右図）との違いに不思議に思ったものだ。しかし17歳のころには自分が同じことをしていると気づいて，ぞっとしたのを覚えている。

30代前半でアレクサンダー・テクニークに出会う前は，どれだけ「がんばって」生きていたかを思い出す。10代のころ，歩き方を意図的に変えたことが2度ある。かっこいいと思われたかったからね。肩幅を広く見せたくて肩を後ろに引き始めた23歳。つまりアレクサンダー・テクニークに出会う前からわたしは自分の体のことをいつも気にかけていた。でもそれは肩を「正しい」位置に引き止めて，首が緊張する結果をまねいていた。こんなことも覚えている。椅子から立ち上がったり，歩いたり，走ったりするのも一苦労だった。また人に見られている気がして，手をどこに置いたらよいかまったくわからなかった。

歩き方が変だね，と友達にからかわれたこともある。でもわたしには，なぜだかわからなかった。やつらにはこの良さがわからないのさ，と思っていた。

努力を手放す

その後わたしはある看護師に出会った。彼女は脊椎を骨折したことがあった。患者がベッドから落ちるのを防ごうとしたのだ。アレクサンダー・テクニークをすすめてくれたのは彼女だ。自分が歩くリハビリをするのに役に立ったらしい。初めてレッスンに行ったときは他のみんなと同じように，エクササイズとか特別なやり方で肩を後ろに引くようなことをすると思っていた。でも違った。替わりにあらゆることをがんばらなくていいと教えられた。どうすれば子どものころのように動いて，体を起こしていられるかを見せられた。わたしはアレクサンダー・テクニークをやることで体のことを気にかけるようになったのではない。逆に以前より体のことを気にかけないようになった。とても軽くて労力がいらないので，体の存在を感じられないのだ。

わたしにとってのアレクサンダー・テクニークのお手本は飼い猫のジグムントだ。ジグムントの体はとても軽くて無理がない。あいつも体の存在を感じていないと思う。決して感じようとはしないし「正しい」形を作ろうともしない。わざとらしい動きをすることもない。ただ周囲の環境にふさわしく応じるだけ。体はやるべきことを自然にやる。鳥を追いかけたり，犬から逃げたり，お日様の下で背伸びしたり。

ハチに刺されでもすればジグムントも体の存在に気づくだろう。わたしも歯医者では体があることを思い知らされる。わたしは骨髄生検をしたことがある。検査の間はとても敏感に体を感じていた。さしのべた手に頭をすりつけてゴロゴロいうときは，おそらくジグムントも自分の体を感じている。体があると知ってとてもうれしくなれば，それはもちろん感覚がいい意味で作用してるってことだ。でもそうでもないときに，いちいち体に気づいて，どうやってそれを動かしたらいいかこまごま決断するとしたら。そんなのは強迫観念以外のなにものでもない。

体にとって「良い作用」のある選択をしなければならないとしても，たとえば「コア筋を働かせる」といったことをわざわざ考えるのは重荷になる。ネコのジグムントやあるいは6歳の子どものように，体のことを手放した方がずっとシンプルだ。アレクサンダーで学べるのはそういうことだ。

さあ，すっとした立ち方をしながら動くためにわたしたちがどうしているか，いくつかの方法を次章以降で見ていこう。

第**4**章

解決を求めていらいらする

（人々の）困難の大部分は固定観念や思い込みから生じる。

F. M. アレクサンダー

理学療法やヨガ，ピラティスで「良い姿勢」や上手な動き方が学べると思っている人は多い。もはや神話になっている感のある「コア筋」を使うとか，走り方解説の小冊子でも読めば，姿勢が良くなり上達できると思っている。本当はもっとシンプルな話ではないだろうか？

人間工学の研究者グループに，アレクサンダー・テクニークについて講演したことがある。アレクサンダー・テクニークを体験してみたい人を募ったら理学療法士が前に出てきてくれた。がんばることなく浮かぶように座ることができるとわかってもらうのにいつもより時間がかかった。なぜなら正しい座り方について，彼女はプロとしての考えをもっていたからだ。

彼女は脱力してぐしゃっと座っていた。わたしがやさしく上方向へうながすと今度は「やり過ぎ」なくらい自分で引っ張り上げた。やり過ぎを手放すよう言うとまた脱力した。こんなことを何度かくり返し，彼女はとうとう脱力でもやり過ぎでもない座り方ができた。ほとんどの人は脱力とやり過ぎの二つしか選択肢がないと思っている。

「これは楽だわ！」驚いて彼女が言った。

「楽？」と彼女の同僚が聞き返す。

「ええ，楽よ」

「あり得ないわ！」と同僚。

アドバイスをだれに求めるべきか気をつけよう！　姿勢を崩さず体を起こしておくための数あるメソード（たとえば体幹トレーニングなど）は，無駄な力を使わず子どものようにふわりと浮かぶ方法を知らない人が発明したものだ。

その手のメソードはまた簡単ではないことが多い。わたしのクライアントにも，立つときにピラティスで教えられたとおりにしようとがんばっている人がいた。しかしきつくて腰痛が悪化したそうだ。体をすっと起こしておくためには，アレクサンダー・テクニークを続けたらピラティスに行かなくてよくなるでしょう，とわたしは言った。

「いいわね」と彼女。「もしまたコア筋とか言ったら顔をひっぱたくところよ！」

まっすぐ立つことは本当にシンプルなのに？　がんばらなければならないという考えは，アレクサンダーが言ったようにばかげている。この女性が初めてアレクサンダー・テクニークを体験したとき，「これは姿勢というよりむしろ禅ね」と言ったのは興味深いことだ。

そして彼女は正しかった！

わたしたちは自分が思うような存在ではない

自己流のやり方で体を固定したり動かしたりすると，どちらもうまくいかないことが多い。裏目に出てアホらしいかっこうになるか，緊張や痛みを起こしたりする。

腰痛持ちの若い女性がやってきた。わたしには原因は明らかだった。彼女が思っている良い姿勢の考え方が間違っていたのだ。彼女の立ち方・座り方は気をつけをとおり越し，ちょっと軍曹みたいな感じに背中を固くしていた(次頁左)。あいにくそのときは部屋に鏡がなかった。だからわたしが上方向にサポートして，力を使わず浮かぶように痛みもなく座ってもらったとき(次頁右)，その方が姿勢良く見えるとは信じてもらえなかった。

彼女の印象はこうだ。「こんなふうに座りたくはないわ。これだとまるで母みたい。姿勢が崩れてたるんでてお腹の上に胸が乗っかってる気がする」

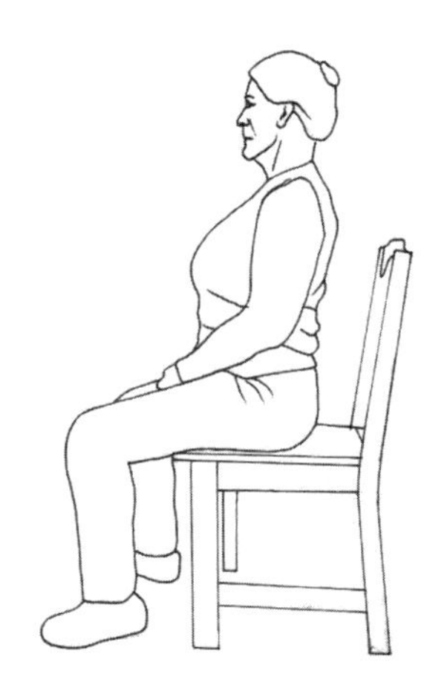

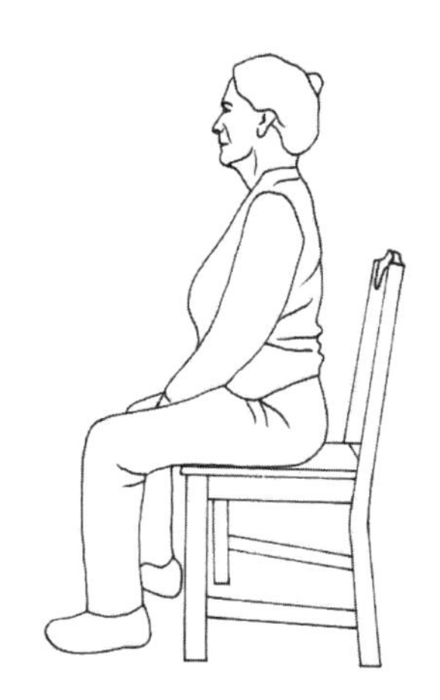

翌週までに全身が映る鏡を買いましたとも。

力を使わず痛みもなく座った姿が自分のイメージと違うのを見て，彼女はしばらく泣いていた。今までの我流の座り方より見た目も姿勢良く，ちっとも母親と似ていなかった。何年も懸命にがんばってきたのに，それゆえに痛みをまねいていた。あんな姿になってはいけないと思ってがんばっていたのだ。すでにもうそういう姿ではなかったのに。ヘンリー・デイヴィッド・ソローが言ったように「大多数の人は静かな絶望の人生を送っている」[7]のだ。

アレクサンダー・テクニーク教師がアレクサンダー自身から受け継いだ言葉に「誤った感覚評価（Faulty Sensory Appreciation）」というものがある。FSA と呼ぶことが多い。たいていの人は，実際にはやっていないことをやっているように**感じている**。このかわいそうな女性のように。体からの感覚的フィードバックを間違って解釈するのだ。このことを簡単に説明するのにアレクサンダーの先生がよく使う手がある。目を閉じてどちらかの腕を水平に上げてもらって，あとで目を開けてもらう。するとたいていの人は腕が水平になっていないことに驚く。

以前教えていた男性は典型的 FSA だった。背中がひどく前かがみになっていて，本人も鏡で見て自分が曲がっているのをわかっていた。しかし長年にわたって慣れてしまっていたので，それがまっすぐな気がしてしかたがない。浮かぶように起こしてまっすぐにしてもらったら，彼にとっては後ろにのけぞって倒れそうな感じがした。危ない，なにかつかまるものはないか，と思うほどに。実際にはバランスがよりとれていて倒れるリスクはむしろ低かった。

またわたしはタンゴクラブに入っているのだが，あるとき，それまで活動していた教会ホールから鏡貼りの壁があるダンススタジオに練習場所を変えた。そこで多くのダンサーが，自分の姿を初めて見ることになりとても驚いた。まっすぐだと思っていたのが実際には固く力んでいたと気づく人もいれば，肩を上げて猫背になっていたと気づく人もいた。動きの中での誤った感覚評価だ！

FSA と似ているが別な思い込みもある。これにも多くの人が害されている。誤ったイメージ症候群（Faulty Image Syndrome）とわたしは呼んでいる。ダンサーが自分の姿を見てがっかりしたのには理由がある。自分の動きやホールドが，思っていたほどかっこよく上品ではなかったからだ。

実際にはそれほど姿勢が悪くないのに悪いと思う人，実際にはまっすぐ立っていないのにまっすぐ立っていると思う人が，しばしばわたしに習いに来る。この人たちと同じように，実際にはかっこよくないのに自分ではかっこいいと思う人もいる。あるいは表情や筋肉で「ひとかどの人物」の印象を与えようとして，悲しいほどうまくいっていない人もいる。

自分でやっているつもりのことと，それを見て人が受け取る印象の乖離は悲惨ですらある。一番「かっこ悪い」ことは，**がんばって**かっこつけたがることだってことにはだれも異論がないだろう。ロンドンの地下鉄で黒いメガネをかけた乗客を見ると，視覚障害なのかもしれないと心配になり，乗り降りを手伝うべきかどうか考えてしまう。わたしがそんなふうに思っていると知れば，彼らはたぶんがっかりするけど。ハイディ・グラント・ハルヴァーソンも『だれもわかってくれない――傷つかないための心理学』（邦訳：早川書房，2020 年）でこう言っている。「統計学的に言って，他人が自分をどう見ているかは，自分がこう見られていると思っていることとほとんど相関しない」[8]

アレクサンダー・テクニークを教え始めたころ，わたしは誤ったイメージ症候群のもっともひどい実例を目にした。40歳くらいの男性，すらっとしていたがとても緊張してこわばっていた。首，肩，背中すべてに痛みを感じていた。力を使わずにそして痛みなく立って動いてもらったら，彼はこう言った。「でもまるで筋肉がなくなったように感じる」

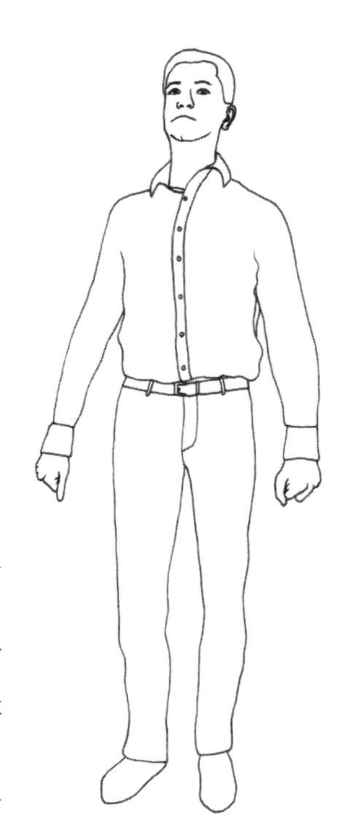

とてもおかしなことだ。一体全体どうしてみんな筋肉を「感じ」たいと思うのか？

もっとすごい人がいた。ある日のこと，その人に自由に上方向に伸びて立ってもらった。軽く，楽で，上品な立ち方だ。彼は言った。「これでどうやって部下に示しをつけるんだい？」。彼は体を緊張させることで，職場での威厳を保とうとしていた。けれどもその緊張すべてのせいで体は痛み，おかしな人と思われていたのだ。

『だれもわかってくれない』にこんなエピソードがある[9]。

友人が初めて編集長のポストについたとき，みんなの視点を大切にすることが自分の方針であると部下にわかってもらおうとしました。そこでチーム会議でだれかが話している間，自分なりに「積極的傾聴」だと思う表情を努めてするようにしました。会議から数週間後，一人の部下がとうとう勇気をもって聞きました。心の中でみんなが思っていた疑問です。

「ティム編集長」とその部下は言いました。「わたしたちに対して腹を立てていますか？」

「え，違うよ」と彼は答えました。「これは積極的傾聴をしてるのさ」

「そうなんですね。では編集長のためにも言いますが，その積極的傾聴はとても怒ってるように見えますよ」

誤ったイメージ症候群の典型的な例だ。ハルヴァーソンは，自分にとって望ましい印象を与えるためになにを変えるべきか解説に入っていく。わたしはそれよりも単純な話だと思っている。もしティムが「積極的傾聴をしている」ようにみんなに思われたいなら，聞いているように**演じる**のではなく，ただ**積極的に傾聴すればよい**。

先に書いたわたしのクライアントの例では，彼は部下に敬意をはらってもらいたくて，体でなにかしていた。敬意に値するように**やる**（to DO）ことは本当に可能だろうか？　体でなにかしているからといって，部下は本当に敬意をはらうようになるだろうか？

アレクサンダーが言ったようにその発想はばかげている。部下が敬意をはらいたくなるように，ただ振る舞えばいいのに。公平に部下をあつかい，話に耳を傾け，賢明な決断を下す。これこそが良き上司ならそうありたいと望むことではないだろうか？

リーダーシップとはなにか？　アーネスト・シャクルトンという探検家がいる。彼のリーダーシップについて書かれた本が何冊もある。その彼が部下を統率するために筋肉を固めていたとは想像できない。体形や表情筋をコスメティック（外形的）に変えることで，ひとかどの人物という印象を与えるのはもしかしたらうまく行くかもしれない。しかし「コスメティック」の定義は，表面的効果しかなく中身には影響しないことである。ひとかどの人物であるように演じたからといって，あなたがひとかどの人物になるわけではない！

「正しい」形に当てはめようとすること

おそらくこれらは極端な例だ。しかしわたしたちのほとんどが，「正しい」顔つきとか「正しい」体形になろうと努力したことがあるだろう。

でもいったいなにが正しい形なのか？　それは伝統的に「良い姿勢」と思われているものではない。お腹を引っ込めたり肩を後ろに引いたりすれば，姿勢良く見えると思うかもしれない。しかしそうしない方が良い理由が三つある。

第一の理由。どのくらい肩を後ろに引くことができるだろうか？　１センチか？　またどのくらいお腹を引っ込めることができるだろうか？　２センチくらいか？　その程度のわずかな差を作るために全力でわざわざやるだけの価値が本当にあるだろうか？　鏡の前でやってみてもらうと，たいていのクライアントはこの話に同意する。時には，誤った自己イメージに強くとらわれてしまって，納得するまでに長い時間を要する人もいる。そうした人たちは筋肉の緊張や自分が慣れ親しんできた形を手放すと，自分の女性らしさや男性らしさ，あるいは品格まで失うように感じる。

そのような場合は家で練習するように言う。職場やパブにいて自分がかっこ悪いと思ったらお腹を引っ込めればよい。ただし一人で自宅のキッチンにいるときまでお腹を引っ込める必要はない。だれも成果を見てくれないところでがんばっていきむなんてばかげている！

第二の理由。わたしの仕事には，首肩の痛みやダメージへの対処が一定の割で含まれる。そうした痛みやダメージは肩を後ろに引いたり，「正しく」立とうとすることで生じている。またお腹を引っ込めたり，お尻をぎゅっと締めたり（フィットネスや女性誌，御用解説家がよくすすめているが），骨盤の角度を変えたりこれらすべてが呼吸を制約する。その酸素が必要だったかもしれないのに，もったいない！

しかし肩を後ろに引いたりお腹を無理に引っ込めたりしない方が良い一番大事な理由は，それが誤ったイメージ症候群であり，そんなことをしても期待した外見にはならないからだ。大きな鏡の前に立って実験すればわかる。軽くまっすぐに立って，できるだけ自然に歩きながら自分の姿を見てみよう。次に「良い姿勢」になるために必要だと思うことはなんでもやってみよう。お腹を引っ込めるもよし，肩を後ろに引くもよし。ほとんど良くならないわりに，大変な労力が必要ではないだろうか？

それから歩いて自分の姿を鏡で見てみよう。おそらくあなたの動きは固く，ぶざまになっているだろう。いかに「コスメティック（外形的）」に体の形を変えたとしても，それによって**動き**はおかしくなる。本当だ。「正しい」形に自分を当てはめて固い動き方をするより，お腹が数センチ余計に出ていたとしても，自然な歩き方をした方がましに見えるものだ。
もし自然な動き方というものがあるとしたら，定義上，それ以外はすべて不自然ということになる。不自然な動きは笑っちゃうほど変なものか，心底ぞっとするようなものだ。悲しいことだがボークとシールズがランニングに関連して言ったとおりだ。
当てはまらない人はいるだろうか？　自分が思うとおりの印象を人に与えていることに自信のある人はいるだろうか？

第5章

あなたは自分が思うようには見られていない

不愉快な真実があります。わたしたちはほとんど自分が意図するような印象を人に与えていません。

ハイディ・グラント・ハルヴァーソン『だれもわかってくれない』[10]

誤った感覚認識と誤ったイメージ症候群は，自分が思っているように人から見られていないことを意味する。自分が思っているより良く見られる人もいるし，逆に自分が想像するのとは違う印象を与える人もいる。

お店のウィンドウに映った自分の姿を見て驚いたことはないだろうか？

写真に写っている自分を見るのが嫌いな人はいないだろうか？

鏡やセルフィーに写るわたしたちの姿は偽りだ。お店のウィンドウや写真の方が真実を語っている。

どうしてわたしたちは，写真に写った自分がそんなに嫌なのだろうか？わたしたちは，アナウンサーやテレビ司会者の明るく偏りのない顔や上品なボディランゲージを見慣れている。そのため自分もそうだと思い込んでいるのだ。セルフィーなら自分の望みどおりにとりつくろうから，そんなふうに見せることもできる。しかしそれが保てるのはスマホに自分が写っている間だけだ。

それ以外のときはと言えば，現実は衝撃的である。わたしのクライアントにも，同僚に撮ってもらった写真を見て，あやうく泣き叫びそうになった人がいる。

じゃあ，わたしたちは実際どんなふうに見えるのか？　そこらじゅうに手がかりがある。通勤列車を思い浮かべてみよう。ロンドン地下鉄には，かつてフリーペーパーにこんな広告が載っていた。「お前はもう地下鉄顔（Tube face）だ。目は開いてるが顔は寝ている」

本当にそのとおり。まわりを見まわせば顔をスマホに埋め込まんばかりにしてゲームにのめり込んでいたり，「スクリーンセーバー」顔で自分の思考に深くダイブしている乗客ばかりだ。これは批判しているのではない。スイッチを切って空想にふけることで，毎日の通勤時間を楽しく過ごせる人もいるだろう。わたしが言いたいのは，わたしたちが思っていることとやっていることの乖離だ。

地下鉄に一人の男がいた。彼は鏡の前で長時間を費やしてきたことが明らかだった。細くした揉み上げ，入念に刈り込まれた口ひげ，さらにはフランク・ザッパ風に房の形に仕上げられた顎ひげ。しかし彼の表情は完全にスイッチオフしていた。開いて下がった口もと，思いは「数マイルのかなたに」飛んでいるかのよう。彼は知らない人からどんなふうに見られるか気にしない人だったのかもしれない。知り合いに会うときとか，打ち合わせに出るときだけスイッチを入れて顔を生き生きさせればよい，というタイプかもしれない。でも明らかに外見には注意をはらっているわけで，自分の姿を写真で見せられたら，その落差にショックを受けるだろう。これも誤ったイメージ症候群だ！

アイロンをかけていないシャツ，すっぴん，無精ひげ，寝ぐせのままで外出したくないという人がいる。しかし電車で顔をスイッチオフするのはかまわないようだ。

家を出る前に髪をとかして鏡でチェックしているときは，だれでもぱっちり目覚めていてキリっとしているに違いない。で，それが一日中続くと思ってしまう。しかしいったん鏡から離れると顔が変わる。「鍵どこ入れたっけ？」「やだ，もうこんな時間？」，駅に向かって歩きながら「急がなきゃ」といった顔になる。そして職場のデスクに着いて仕事を始めれば「お取り込み中」とか「集中してます」という顔。

考えたり，集中したり，鍵を見つけたり，駅にもっと早く着くために，顔の筋肉にできることはない。「運転中です」「傾聴してますよ」「困惑してます」の顔もある。カフェでサンドイッチを見比べてどれにするか決めるとき，わたしたちは顔をしかめる。たった今これを読んでいるあなた方にも「読書中」の顔の人がいるはず！　運転や傾聴や考えごとや読書に，顔の筋肉は役に立たない。

わたしが顔についての章を書いていると知って，ガールフレンドが言った。「くつろいでいたら，顔のことをどうこうできないわよ」。彼女は正しい。もちろんだ。でもくつろいだ顔にはめったに出会わない。「スクリーンセーバー」状態でスイッチを切っているか，あるいはなにか余計なことをしてゆがめているかだ。

2005年ごろ，ダヴ（英国の洗剤・ヘアケアメーカー）は「リアルな」女性でキャンペーンを打った。通常なら痩身のモデルが使われるところだ。そのキャンペーンがありきたりな広告より魅力的でひびいたのは，「リアルな」女性モデルが，明るく楽しくはじけるような表情をしていたからだ。顔をしかめ，スイッチオフした通勤電車の人たちでも，喜んでダヴの女性たちのようになりたいと思うだろう。

せっかくの美しい顔が，本人がしていることのせいで美しくなくなることはよくある。反対に「平凡な」顔が，生き生きしてあたたかみとユーモアがあるために美しくなることもよくある。それは「自然な美しさ」が輝いているようなものだ。

動き方についてはどうだろうか？　お店のウィンドウはよいフィードバックになる。ウィンドウに映る自分の姿を見て，たとえば前かがみでしかめっ面だと気づいたとする。だから体を起こしてしかめっ面をやめ，それを継続しようとする。10分後にまたウィンドウに映った自分の姿を見たら……**ええ!?**　前かがみでしかめっ面だ。

どうなってるの？

自分が望んでいないことをやっている。

自分がやっていると思っていないことをしている。

自分がやっていると**感じて**いないことをしている。

またしてもFSA（誤った感覚認識）だ。自分ではまっすぐ立ってるつもりが，ウィンドウに映った自分の姿はそうなっていなかった。そしておそらく一番驚くべきことは，自分がやろうと思ったとおりに自分自身をコントロールできていなかったこと。わたしたちはまっすぐ立ちたいと思えばまっすぐ立てると考えるが，それは間違いだ。

歩き方なんか気にしない人もいる。髪型や服や靴さえ良ければ自分の見た目が良くなると思っているかもしれない。それが正しいこともあるが，悲しいかなとても間違っていることもある。夜会のために着飾って出かけた人が，自分自身のみっともない動きを見ることができたとしたら，びっくり仰天するかもしれない。

また体形が良ければ見た目も良くなると思って，歩き方を気にしない人もいる。覚えておいた方がいい。体形を変えたり表面的にとりつくろったりすることは，それがいかなることであれ動き方にも影響をおよぼす。鏡でチェックして肩の位置を調整したがゆえに，体を固くして歩く人もいる。これも誤ったイメージ症候群だ！

わたしたちは自分がやっているとは知らずにいろいろなことを顔でしている。

わたしたちは自分がやっているとは知らずにいろいろなことを体でしている。

顔や体の動きは選ぶことができる。ストレスや心配を感じさせないようにすることもできるし，生き生きして魅力的な印象を損なわずにいることもできる。

誤ったイメージ症候群の人はみな実際より老けて見える傾向がある。娘の買い物に付き合ってデパートへ出かけたときのこと。娘がドレスを選ぶ間，腰かけて人々を眺めていた。すると突然，大勢の女性が試着室に向かうのが見えた。華やかなドレスを何着も持って，しかし顔はしかめっ面でスイッチオフ状態だ。服より先に人が気がついて注意をはらうのは顔だ。試着室では服を着替えるより顔を替えた方がいいね！

自分の見た目にどこか気に入らないところがあって，対処法をすでにもっている人もいる。でもそれがゆえにかえっておかしくなることもある。友人とバーにいたときのこと。あからさまに顔を引き上げている女性がいた。常に作り笑いしているように見えた。それはかえっておっかなく見えた。自分がそんな印象を与えているとは，おそらく思っていないだろう。

彼女はダヴの女性たちがもっていた「スター性」が，その笑顔でもたらされると信じているのかもしれない。でも違う。それは注意を引くけれども彼女が望む方向でではない。

見た目を良くする，あるいはただ上品な印象を与えるためにできることは，もっとシンプルなはずだ。

第6章
わたしたちが行うすべてのことに対するモード

神はあなたに顔を与えたのに，あなたは自分で別の顔を作ってしまう。

ハムレット

どうしてこのようにまったく不必要で非建設的なことを顔や体でやってしまうのだろう？

欧州でもっとも高いビルであるザ・シャードができて間もないころ，その近くのアパートに半年ほど住んだことがある。観光客がよく写真を撮りに来た。ザ・シャードのてっぺんを見上げる観光客はこんな様子だ。こういう顔をする必要があるだろうか？

また，タンゴクラブのダンスパーティに参加していたころのこと。踊るときはとても上品なのに，それ以外のときは上品でなくなる人がいた。そのことにしばしば興味をそそられた。クラブが新しい場所に移転して間もないある日，一人の男性がトイレを探していた。ダンスフロアを横切って半分くらい来たところで，彼はドアの表示に気づいた。立ち止まってよく見ようとこんなふうに前かがみになった。ドアの表示を読むためにもう 10 インチ（約 25 センチ）近

づく必要があるなら，体は起こしたままで足を一歩前に運べばいいのに。

これらはともに「見るモード」をやっている人の例だ。ほとんどの人にはやることに応じたモードがある。

ヴェルディのレクイエムを聴きに行ったときのこと。その公演はプロのソリストとアマチュアの合唱という編成で歌われた。ソリストはすっと立ち上がって楽譜を低く構え，ホールの遠くの端を見て歌った。力まかせでなく，深いところから声が出ているようだった。

それに対してアマチュアの合唱は力んで顔が引きつり，頭や体をふりまわしていた。ソリストはただ歌手としてそこに**いた**が，アマチュアは「歌うモード」をやっていた。

プロの歌手は歌っているように見えないし，プロのヴァイオリン奏者も演奏しているようには見えない。これは称賛の言葉だ。プロはこう言われたらありがとうと笑顔でこたえるだろう。アマチュアはそれを理解しない。アマチュアはまだまだやれていないと考える。十分にできていない，正しくできていない，もっと強くやる必要があると思っているから。

ザ・シャードの観光客が，「プロフェッショナル」な力に頼らないやり方で見上げるさまを想像してみよう。タンゴクラブでトイレを探す場面も想像してみよう。こんなふうに楽にものを見ることが本当に可能なのだ。もう一度，わたしの息子がテレビを見ている絵を見てほしい。あなたはどれに似ているだろうか？　単に目を使って見ている「プロフェッショナル」か，「見るモード」をやっている「アマチュア」か？

この章冒頭のハムレットの引用は，実は化粧についてのものだ。朝の列車で若い女性が化粧することは，社会的に受け入れられるようになった。しかし彼女らの自意識の欠如は見ていてひきつけられる。「化粧モード」への入り方がまたとても興味深い。

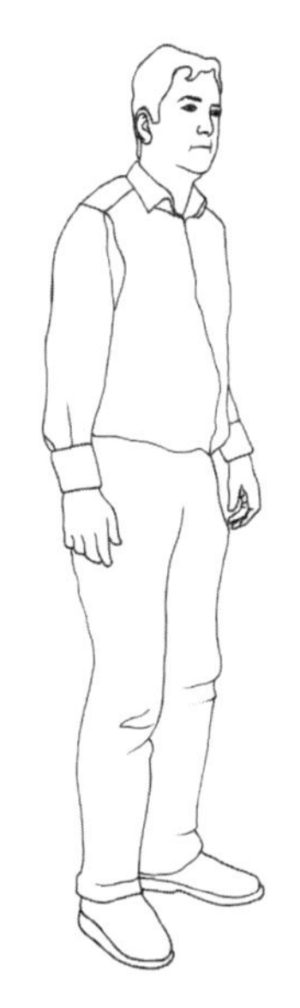
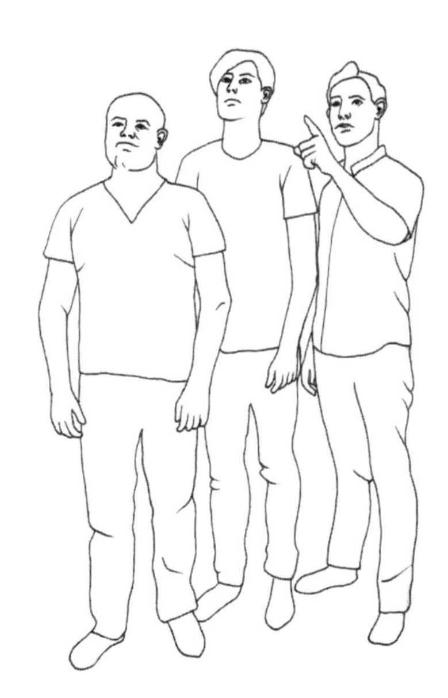

鏡を片手にマスカラをもう片方の手に持って，クレーンのように首を前に伸ばすのは，鏡に顔を近づけるためだ。もし列車でのひげそりが受け入れられるようになったら，男性も似たようなことをするだろう。

これはとても奇妙なやり方だ。逆の方がずっと簡単だから。つまり鏡の方を顔に近づければよいのだ。そしてまさにこのために腕が存在する！　腕はとても可動性があって曲げ伸ばしが可能だ。ところが首の付け根にはその動

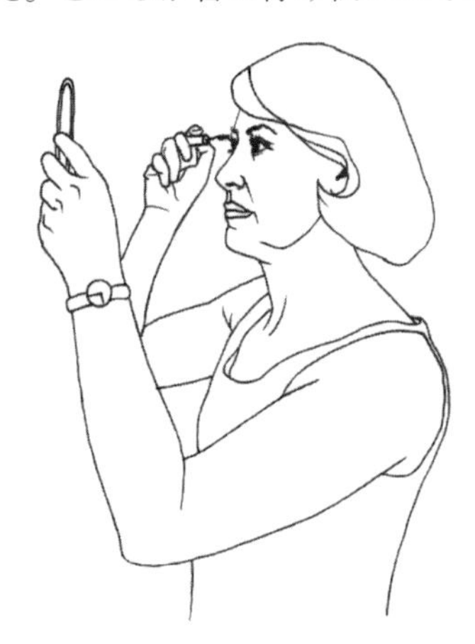

きに適切な関節はない。これでは首が痛くなるのも無理はない！

他のモードについても手短に紹介したい。ただしその前に，わたしたちがこうしたことをやってしまう理由を考えてみよう。わたしが8歳のころ，小学校の先生が黒板に算数の式を書いて，答えがわかったら手を挙げさせていた。

あるとき一人の生徒が当てられた。その子は手を挙げていたのに答えられなかった。黒板を見ながら顔をしかめたり頭をかいたり，ため息をついたり困惑ぎみに音を立てたりしていた。結局彼は答えられなかった。まったくやり方を知らなかったのだ。ボディランゲージや声でなにか表しても，ぜんぜん問題を解けるようにはならない。そうした行為は，本当に問題を解こうとしているかのように先生に見せるためだ。**熱心に考えてがんばっていますよ**と。

その子は熱心に考えるという**演技**をしていた。あのくらいの年齢になると，わたしたちは人に伝える**方法**と伝えたい**内容**を混同するようになる。前のめりになって目をしかめる動作はすなわち見ていますよということだし，頭をかく動作はすなわち考えていますよということだ。

あるクライアントに「ねえ知ってた？　ロンドンブリッジの近くにね……」と尋ねたら，彼女はわたしが言い終わらないうちに息を止めてこんなふうにした。

自分が知ってるかどうかいぶかしむさまを**演技**したのだ。どうして？　わたしはまだ質問にたどりついてもいないのに！　そんなことしても質問がもっとはっきり聞こえるようにならないのに！　なにをしたところでまったくなんの意味もない。「聞いてます」とか「考えてます」とか，学校の先生にわかってもらわなきゃいけない場面で身につけてしまったのだろう。彼女にしてみれば，質問さ

れたときにいつもしていることをやっただけだ。彼女は考えるモードをやっていたのだ。

わたしたちがしている多くのこと，わたしたちが入り込んだり演じたりするモードは，他者に気に入ってもらったり，人をなだめたりするためのものだ。そうすることで自分がなにをしているかを示し，社会的な期待にもこたえようとする。上司から質問されたら，あなたは頭をかいたり「え～と……」と言ったり，とにかく自分が考えていることを示すためになにかしなければならない。

でも実際には考えるために顔でできることはなにもない。「え～と……」とやることは考える助けにならないし，ため息もあごをなでるのも息を止めるのも同じだ。考えることは脳内の作用なんだから！　自然がわたしたちに力を使わずに立っていられるシステムを与えたように，力を使わずに考える仕組みもまた備わっている。

同様に，聞くこと，集中すること，見ることについても筋肉にできることはなにもない。でも学校では先生によくこう言われただろう。

「聞いてるのか？」

「はい」

「お前はとても聞いてるように**見えない**ぞ！」

だからわたしたちは聞いてるふうの顔を作り，聞くモードをやるようになった。

あるいは体育教師にどなられたことがある。

「もっとがんばれ！」

だからわたしたちは「がんばってる」ふうの顔を作り，「がんばって」体を緊張させるようになった。

アイルランドで，学校の椅子改善について称賛に値するキャンペーンが行われた。アレクサンダー・テクニーク教師が始めたものだ。背中を起こすことで，子どもたちが背もたれに寄りかかり首を前に倒さなくてすむよう予防するのだ*。生徒が教科書に向かってしかめっ面したり体をひねって字を書いていたら，それは努力したり，集中したりしているのではなく，そう見えるよう**演技**しているのだ。このことに学校の先生が気づいたら，生徒にも価値のある発見だろう。集中についてアレクサンダーは1923年にすでにこう言っている[11]。

「集中力を信じている人がいる。そういう人たちが本を読んだり字を書いたり考えたり，そのほか幾多の日常動作の中で，精神的，肉体的状態をどのように表すか観察してほしい。まず目の緊張。これは不安や焦りの表れであり，恐怖に対して過度に反応していることを示す。目つきがゆがんでいることもあるかもしれない。そして全体として認められるのは，自己催眠特有の凝視するような目だ。さらに顔全体，次いで体と手足も観察してほしい。すると体全体に過剰で有害な緊張があることに気づくだろう」

アレクサンダーは正しかった。ほとんどの人が集中しながら「過剰で有害な」緊張をしている。彼はこうも言っている。「わたしは努力を必要とするような集中は信じない」[12]。残念なことに，こうした緊張をともなうモードを演じることがわたしたちに期待されている。

あるクライアントは人の話を聞く際に首を曲げて頭を前に突き出し，顔をしかめるのが癖になっていた。わたしはただ聞くようにと提案した。いかなる筋肉も固める必要はない。1週間後に来たとき彼女から聞かされたのは，提案されたやり方でも耳が聞こえるのはわかったが，母親から「**あなた，わたしの話聞いてるの？**」と言われたということだった。

人は短期間であらゆるモードに慣れてしまい，それが正しいと感じるようになる。タンゴクラブでトイレを探していた男性にとっては，前かがみになることが**見る**ということだった。長いこと見るモードをやっていたので，見ようと思ったときは，いつでもそれが起こるようになっていた。自分はそんなことしてないとお思いだろうか？　あなたは驚くかもしれないが，わたしたちはたいてい無自覚にそんなことをしているのだ。

訳注* 座面の背もたれ側の高さがわずかに高くなるようにクッションを敷くことで，背もたれへの寄りかかりを予防するもの。

スマホを使う人たち，スマホモードの人についても見てみよう。なぜ彼らはみなこんなことをするのだろう？　たいていの人は他人がそうしてるのを見て自分も同じようにする。

ベビーカーを押す人を見てみよう。けっこう多くの人がこんなふうにベビーカーに前のめりになる。

ベビーカーは腕をゆるやかにかまえて指先２本だけで押すことができる

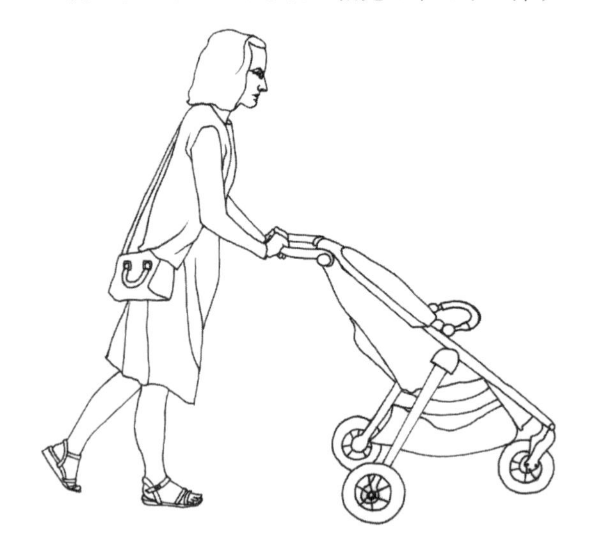

が，たいていの人はそうしない。初めて赤ん坊をつれて散歩に出たとき，他のみんなの押し方を見てそれを単にコピーしたのだ。ベビーカーを押すというような日常の動作について，それがいかに小さな力でできるのか調べようとする人はいない。

他のみんながやっているのを見て，そのやり方で大変な労力がかかっていたとしても無批判に飛びついてしまう。列車で化粧するあの女性たちも理由は同じだ。そのやり方でみんなが化粧するからそうするのだ。

動作はすべて筋肉を使わなければならないという通念がある。それは当たり前だろうか？　ものごとを**行う**ために力を使う必要があるのだろうか？

考えるために筋肉を使わなきゃいけなくて，そうでないと考えることができないのか。そしてものごとを行うために「正しい」ポジションでなければならないのか。筋肉は考えることの助けにはならない！　正しいポジションもない！　すべては力を使わなくてもできるのだ！

カナダで開催したワークショップでのこと。本を読むときに背中が痛むので，座位で読書するための「正しいポジション」を教えてほしい，という参加者がいた。普段どうやって読んでいるのか見せてもらったら，彼女は読むモードをやり始めた。

なるほどと，わたしは思った。背中が痛くなるのも無理はない！

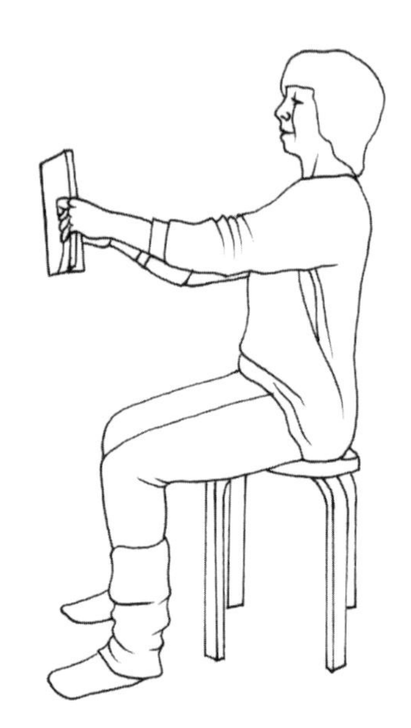

多くの人と同じように，本を読むためのポジションは二つしかないと彼女は思っていた。だらっとするのが良くないことは知っていたので，気をつけをして腕を水平の高さで保持しなければならないと思っていた。わたしは友人の娘が当時９歳で，本を読むのが大好きなことを彼女に話した。

その子はいかなる状況でも本を開いた。コートをはおりブーツをはいて，自分は出かける準備ができているけど，母親がまだ妹の支度を見ていて待たなきゃいけないときも。学校に遅刻するかしないかギリギリで，あと２分で出発しなきゃいけないときも。お風呂にお湯を張るのを待っているときも本を読んでいるような子だった。

ほら，本を読むための正しいポジションなんて**ない**でしょう。本を読むたびに同じ座り方をしなくもいい。座るモードをやる必要はないのだ。ただ気楽に腰かけて本を手に取って開けばよい！　実際，なにごとについても正しいポジションというものは存在しない。ジャズミュージシャンとは「二度と同じことを演奏しない音楽家」というが，それと似ている。アレクサンダー・テクニークをマスターした人は「二度と同じ構えでやらない人」と定義できるかもしれない。第8章で見るように，自由で生き生きしてバランスがとれていれば，ある一つの構えでいる必要はない。

見た目を良くしようとしたり，さまざまなモードにとらわれて緊張したりだらっとしたりすることは，すべて犠牲をともなう。わたしたちは自ら必要以上に生きることを困難にしている。顔や体のシワを増やすようなあらゆることは早く老けるもとだ。「がんばる」のに忙しいあまり，今ここと世界の美しさを見失っている。

楽なことがすべてではない。しかしものごとを楽に行うことが，高い質の注意力を引き出し，より良く「行うこと」につながる。それをこれからみなさんにお見せしよう。

第7章

年齢は自分で決めるもの

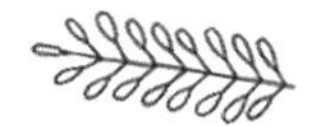

歳をとるから遊ばなくなるのではない。遊ばなくなるから歳をとるのだ。

ジョージ・バーナード（劇作家F. M. アレクサンダーの生徒）

顔でやることはなんでも，たとえばパソコン画面をよく見ようと目をしかめたくらいでも小ジワが浮かぶ。気にしようがしまいが，結局のところ歳をとってある程度の年齢になれば，シワはできる。でも実は，シワがあなたを年とってみせるわけではない。顔がシワだらけだってグレーヘアーだって，生き生き，にこにこした目や身軽なスキっとした身のこなしで，若く見える人もいる。

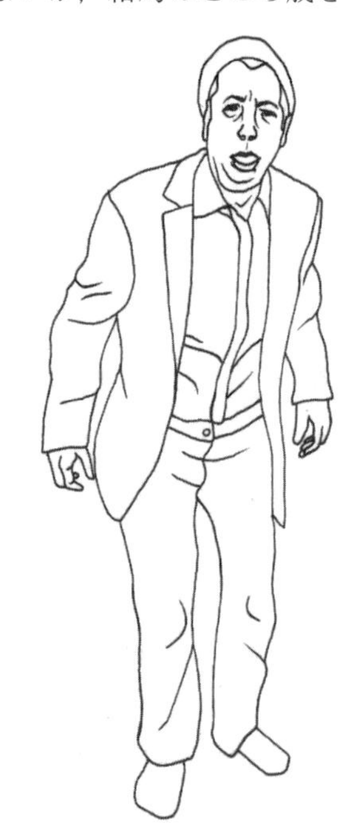

グレーヘアーやお肌よりもはるかにあなたを老けさせるもの，それは顔や体をモードにはめ込んで使うことだ。あるフェスティバルに出展したとき，一人の男性がわたしのチラシを食い入るように見ていた。アレクサンダー・テクニークでいかに若さを保つことができるか書いてあったのだが，皮肉にもその男性はこんな姿でいた。

この男性が50歳を超えてるというのは，こ

の絵の上に白髪やしわを描き加えなくても明らかだ。「見るモード」を極端な形で行うとこんなふうになる。

力の要らない上向きの方向性を10代で損なってしまうと，歳をとればとるほどふわっと浮かぶようにいることが難しくなる。20代で，ネジとドライバーが合ってるかどうか見るためにこんなにまでかがむ癖がついているとしたら，60代になるころには鞄におおいかぶさって中のものを探すようになるだろう。そして鞄に入れた切符を探すために，バスを待たせることになる。

ドライバーの先をよく見るために腰を曲げて自分の目を近づける必要はない。ドライバーの方を目の高さに持ってくればいいのだ！

どれどれ？　とみんなで地図に見入っている中年女性たちもそうだ。

体を起こしたまま地図の方を見える高さまで持ってくる方がずっとシンプルだ。

30代で「階段下りるの大変モード」になり，段を下りながら一歩ずつ見て確かめなければいけないとしたら，80歳になる前に，腰を直角に曲げて足もとだけ見るようになるだろう。そんなふうに体を丸めて頭を前に突き出した方が，バランスを崩して転びやすくなる。次の章ではそんなことも見ていく。

足を見ないで安全に階段を下りることは可能だ。何歳だろうとなんの問題もない。小さな子どもにだってできるのだから。

歳をとる主な原因は，モードにはまり込むことばかりではない。加齢それ自体がモードの一種だ。歳をとるにつれて体が固くなるから動きが制限される，というのはほとんどのケースで当てはまらないとわたしは思う。むしろ動きを制限するから体が固くなる。そして動きを制限しない選択肢もあると

思っている。

たしかコメディアンのビリー・コノリーが，親父さんみたいにどっこいしょと言って座り始めるのは何歳からかってネタをやってた。答えは，何歳か決められない，だ。あなたも一定の年齢になればどっこいしょと言い始めるが，それはまわりの人がそうするからだ。ティーンエイジャーが「同類(tribe)」の仲間に合わせて背中を丸めたり，女性が化粧するとき鏡に顔を近づけて，その逆をやらないのもそう。単にみんながそうやっているから。まわりがやっていることを見ているので，年齢とともにその動き方に合わせ始める。アレクサンダーの人たちは変えないけど。

60代のアレクサンダーの同僚が「僕だけ同世代より若いから浮いちゃう，そこが問題なんだよ」とうちあける。

くり返しになるけど，歳をとるにつれ顔が老けて見えるのは避けられないこととは思わない。そうならない選択肢だってある。

アメリカのエイブラハム・リンカーン大統領は，組閣にあたってある人物の入閣を拒んだ。その理由を顧問の一人に問われてこう答えたという。「顔が好きじゃない」。

「顔ですか？　かわいそうに，それは彼のせいではないのに」と言われて，「いや，40を過ぎれば，自分の顔は自分で責任をとらねば」とリンカーンは返した。

ギャヴィン・フランシス博士は著書『人体の冒険者たち』（邦訳：みすず書房，2018）の中で，医師として20人から30人の顔を解剖したと言っている。多くは「顔面の皮膚が厚い高齢男性」[13]だった。

「ご遺体は一人一人違っていた。亡くなったことで表情がゆるんでいたにもかかわらず，表情筋の発達具合が一人一人の生前の生きざまを表していた」

もっとも違いが大きかったのは口を笑わせる筋肉群だった。「その筋肉が厚くてくっきりした人は，人生が笑いに満ちていたことを彷彿とさせた。反面，しなびて細いスジのようにしわしわになっている人もいた。また，病的なうつを思わせるほどに，顔をしかめるための筋肉が発達したご遺体を見たこともある」

歳を重ねるにつれ，自分の顔は自分の責任だと自覚しなければならない。自分の感情の揺れ幅にも責任をもつべきだ。笑顔のための筋肉がよく発達するのは素敵なことなのに，人はいったいどのようにして「しかめっ面モード」に固定されていくのか？

自由な動きは取り戻せるだろうか？

柔軟な表情は？

感情の揺れ幅は？

もちろん可能だ。

ここに二人のアレクサンダー・テクニーク教師による研究がある。サウスカロライナ大学とウィンストン・セーラム州立大学共同で，サラ・バーカーとグレンナ・バトソンが実施したものだ。それによると，２週間のアレクサンダーのレッスンで高齢者の平衡機能と可動性が改善した[14]。見てわかるくらい大きな違いを前後比較したオンライン動画がある。

ハーバード大学心理学教授エレン・ランガーの研究も，老化は心の状態に過ぎないことを示しているようだ。40年以上にわたる研究により，心がまえ（mental attitude）が老化の影響を覆して，身体的健康も改善することを彼女は示した[15]。

わたしも，歳をとったことで失われた軽やかさや楽さを取り戻すお手伝いを多くの人たちにしてきた。ある87歳のクライアントはこう話してくれた。キッチンでトレイを運ぶときに自分がしてることに気づいてはっとした，と。トレイを自分の右側に直角の向きで置く必要があったのだが，足もとでちょこちょこ動いて体が「ひとかたまり」であるかのように向きを変えていた。そうだ，若いころのようにウエストをひねればいいのだと気づいたそうだ。

「もうこれからはあんな動き方はしませんよ。あれは年寄りがやることですから」と彼女は言った。

顔の話も？

そのとおり。

わたしのクライアントの一人は，アレクサンダーのレッスンを「アレクサンダー・フェイスリフト」と呼んでいた。またわたしの元生徒だった50代のアレクサンダーの先生もずいぶん顔色が明るくなり，同僚から本当に素敵になったけどフェイスクリーム変えたの？　と聞かれたらしい。

感情の揺れ幅はどうだろうか？

それもだ。

もう一人，50代のクライアントがいて，彼は大人になってからずっとみじめな人生だったと語っていた。しかし今は，自分で決めたときにだけみじめな気分を味わうことにしてるとか。

とは言うものの，あとから直すより先に予防する方が良い。確かにアレクサンダー・テクニークで表情や動きの若々しさを取り戻すことができる。しかし早いうちに学び始めれば失うことがないわけだから，取り戻す必要もなくなる。あなたは決して「加齢モード」に入ることはないだろう。

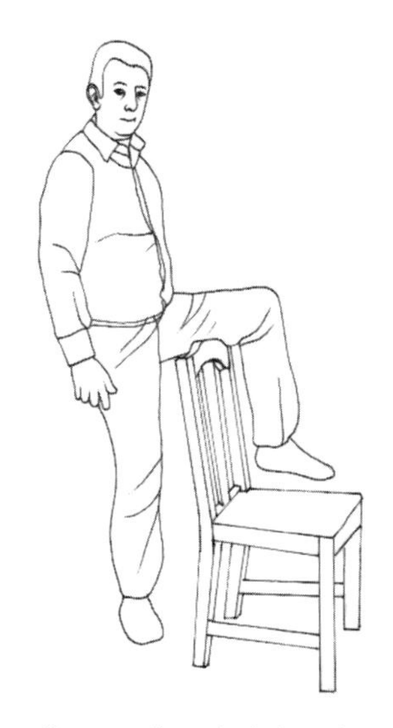

アレクサンダーの人々は見た目も身のこなしも若いままだ。わたしの同僚のように，同世代より若々しくて浮いてしまうくらいだ。

1950年代の白黒フィルムに，当時80代のアレクサンダーを撮影した動画が残っている。彼はカメラにまっすぐ目を向けて，背の高い椅子のまわりで脚をぶらぶらしている。まるで20代のような軽やかさで，絵に描くとしたらこんな感じだ。

エリザベス・ウォーカーは，アレクサンダー本人から直接トレーニングを受けたアレクサンダー・テクニーク教師だ。彼女は数年前に99歳で亡くなったが，その1年前にはBBCの「ウーマンズ・アワー」という番組でインタビューを受けていた。98歳という年齢でなおアクティブに活動し，アレクサンダー・テクニークを教えていたからだ。スイスのカンファレンスで彼女にばったり出会った知り合いが話してくれた。彼はそのとき登山の計画を立てていたのだが，エリザベスはもうこの歳で登山は無理だからシュノーケリングを始めた，と言っていたそうだ。当時彼女は91歳だった。

わたしが初めてエリザベスに会ったとき，彼女は80代だったけれど20歳は若く見えた。すっとした立ち姿，軽やかでエレガントな動き，明るく生き生きとしてほほ笑みにあふれた顔をしていた。

もう一人，アレクサンダーから直接教わったアレクサンダー・テクニーク教師に，マーガレット・ゴールディという人がいる。彼女とのレッスンについて書かれた本からの引用を加えよう。

「マーガレットの机の上には，重たい木製のグリップがついた銃が置いてあった。わたしが銃を置いている理由を尋ねたら，彼女は侵入者に立ち向かうためだと答えた。まずそいつに銃口を向けて次に頭の上めがけてぶっぱなすのよと言いながら，やって見せてくれた。ああ，なんて怖かったことか！　あっという間にエネルギーが手足のすみずみまでいきわたり，空中に銃をさしあげたとき，彼女の全身に生気がみなぎりあふれていた。動きの中に彼女のすべてがあって，まったく一つになっていた。昔の戦の最中における侍のシーンが思い出されたものだ」[16]

当時マーガレットは 90 歳だった。歳をとるのは避けられないが老けて見えるのは違う。あなたは選ぶことができる。

第8章

あなたの「上」を再発見し バランスを見つけよう

身体的な問題のほとんどは，間違った先入観とそれに基づく思い込みに影響された（その人自身の）意図的行為によってもたらされる。

F. M. アレクサンダー

アレクサンダー・テクニークの先生のレッスンを受けに行けば，あなたは無駄な力のいらない動きを身につけ，いい感じの印象で若々しく見える人になる。またメンタル面でも多くの恩恵がある。これらのことについては後の章で述べようと思う。

しかしまずは，痛みや不快感の原因になることをどうやって止めたらいいのか話したい。

ほとんどの痛みは，わたしたちのものごとのやり方に原因がある。もちろんトラックにひかれて脚が絶え間なくじんじん痛むとかは別だ。ここでは背中や首や膝が日常的に痛むこと，そしてその原因が自分自身を「間違って」使っているような場合について話している。間違った使い方にはパソコンの画面に向かって前のめりになるとか，軍曹みたいに気をつけして直立するとか，その他ありとあらゆることが含まれる。

自分の習慣やモードのせいで体に痛みがある場合，ボディワーカーのところで「カチッ」とやってもらったり*，マッサージを受けたりすることもで

訳注* 特殊な器具で，軽い振動刺激を与えて体を調整する，カイロプラクティックのアクティベータ・メソードと思われる。

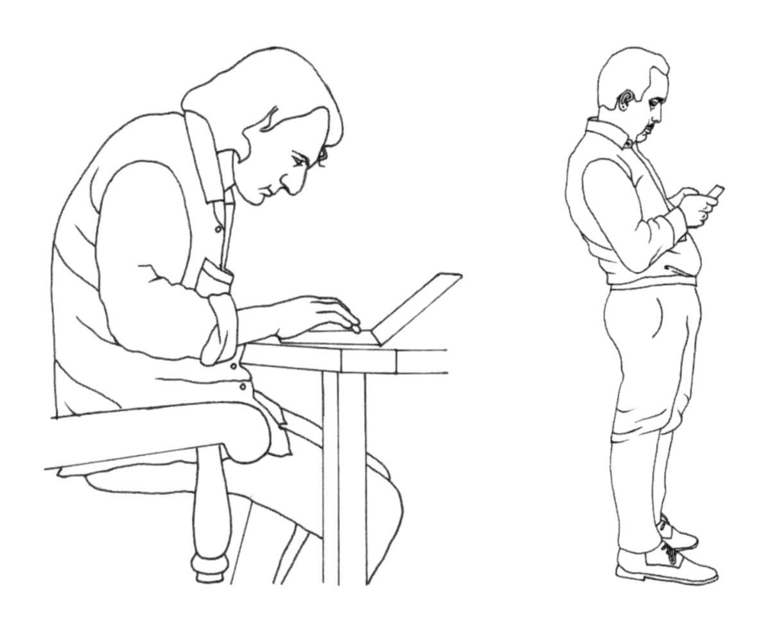

きる。あるいは「コア筋」の強化方法を学んだり，ウェイトトレーニングをすることもできる。しかし習慣的なやり方でものごとをやり続ける限り，痛みは残り続けるだろう。本当の解決策は，あなたがものごとを行うやり方を変えることだけだ。

たとえば左上の絵のように，ラップトップモードでパソコンを使う癖が残っていたら，いくらコア筋をきたえても首の痛みは解決しない。また右上の絵のように膝を固めて反り腰でスマホをいじる癖がそのままなら，いくらマッサージしても腰の痛みは消えない。

一つ実験をしてみよう。カメラを持ってきて，鏡に映る自分の姿を写真に撮ってみよう。大多数の人は，手にしているカメラのタイプによって次の二つに当てはまる。スマホのカメラなら後ろにのけぞっているし，ファインダー付きのカメラなら前のめりになって片方の目を固く閉じている。このイラストほどではないにしても，ほぼ確実にこのようなことをやっているだろう。バランスのとれた力みのないやり方で写真を撮る人はほとんど見られない。

論理的に考えたら，どれだけおかしなことをしてるかわかると思う。一緒に順を追って考えてみよう。見るからにおかしくないだろうか？

カメラと目の距離をふさわしいものにするために，脊椎をひん曲げる必要があるのか？　なぜ腕を使って，スマホを少し遠くに持っていかないのか？

あるいはなぜファインダーの方を目の高さまで持ち上げないのか？

そっとまぶたを閉じればいいだけなのに，どうして顔までしかめてしまうのか？　こういうのが大事だ。なぜなら痛みはそこから始まるからだ。

ではどうしたらいいか。まずは自分のしていることに注意をはらってみよう。習慣的にやっていたり，さまざまなモード（たとえば写真撮影モードとか）に入ってものごとを行っていることに気づいて，新しい選択をしてみよう。あるいはアレクサンダー・テクニークの先生に助けを求めてもよい。その他，できることとして，わたしも自分で試せる考え方をここにあげてみたいと思う。

力のいらない上向きの方向性を失うと，体を起こして動くために別のやり方を模索しなければならなくなる。このようにして身につけた動作はバランスが崩れていて，曲げるようデザインされていないところで体を無理やり曲げるようなことが起こりがちだ。わたしたちがかかえる身体的問題のほとんどは，以下の三つが要因だ。

力の要らない上向きの方向性を失うこと。

体のバランスが崩れること。

不適切なところで体を曲げること。

力のいらない上向きの方向性

ものごとを行うために，どのくらい過剰に「がんばって」しまえるものなのか見てみよう。右腕が肩からぶら下がっている肉のかたまりだとイメージして，水平になるまで重力に逆らって持ち上げてみる。そしてそれがどのくらい大変な仕事か確認しよう。重たくないだろうか？

ではもう片方の腕で他のやり方を試してみよう。左腕と脇腹の間に少し空気があると思って，その空気を「大きくして」みる。そのようにして腕を**ふわり**と水平まで持ち上げる。この方が楽ではないだろうか？

おそらくあなたの人生は，このエクササイズの右腕ほど重くはないだろう。しかし左腕ほど軽やかでもないだろう。わたしたちはみな，このくらい軽やかに楽に動けることを知っている。バレエダンサーや綿毛の真似事くらいはしたことがあるのに，そうしない。

力を使わずに動けることを知ってるくせになぜそうしないのだろうか？電球を取り替えるとき，肩も腕も手も一生懸命持ち上げておいて指先で電球を触わる。こういうことをわたしたちはやりがちだ。もっとシンプルにできるのに。ただ指先を電球に向かって浮かばせればよい。左腕を体の横で浮かばせたのと同じように。

やってみよう。天井に向かって指先を浮かばせる。スマホを持って目の高さに浮かばせる。

楽にできる。見た感じも良い。これなら首が痛くなったりシワがよったりしない。これを生活の中でさまざまに応用してほしい。キーボードに向かって手を浮かばせる。コーヒーを飲むのにマグカップを自分の口もとに近づける。自分が首を曲げてマグカップに近づくのではなく。カメラも本もふわりと自分の目の高さに持ってくればいい。とてもシンプルだ！

アレクサンダー・テクニークの教える，力のいらない上向きの方向性についてヒントを得たいなら，頭を両肩から遠く離して浮かばせるといい。胴体を脚から浮かばせるといい。そしてすべてのものを床から浮かばせてみるといい。実際のアレクサンダー・テクニークの教え方はこんなふうではないことは，断っておく必要があるが。これは単なるエクササイズだから。

しっくりこなかったり，「間違った」感じがしても心配はいらない。新しいことはなんでも奇異に感じるのがお約束だから。新しいことは居心地が悪いはずとか不快感をともなうはず，とまでは言わないが，単になじみがないのだ。やってみて結局なじみのある感じがしたら，それは今までやってきたことをやっている。つまりなにも変わらなかったということ。より少ない労力でやれたとしたら，その方がおそらく以前より建設的にやれている。そして鏡の前でやってみたとしたら，体の「指標点」が一直線上にそろっていることにたぶん気づく。膝と股関節と肩と耳がすべて，くるぶしを通る垂線上に並ぶ。

ボディワーカーはこのアラインメントが好きだ。しかし彼らはたいてい引っ張ったり押したりして，あなたの体をアラインメントに合わせようとする。力のいらない在りようの結果としてアラインメントがそろうのとは異なる。

バランス

アレクサンダーは自己観察をしながらいろいろな実験をした。その実験により彼の人生は変わった。自己観察の最中に，自分があらゆる動作で習慣的に首を固め，頭を「後ろに下に」引いていることに気づいた。そして他の人もみな同じことをしているのがわかった。この理由について彼はこう確信していた。人はみな「びっくりパターン（startle pattern）」からぬけ出せなくなっているからだと。でもわたしはそれは間違っていると思う。

びっくりパターンは実在する。あるクラスで，だれかちょっと前に出てきてくれませんか？　とお願いしたところ70歳くらいの女性が前に出てくれた。そこで「最後に逆立ちしたのはいつですか？」と彼女に質問した。その瞬間に彼女は息を飲んで目を見開き，頭を固めて後ろに引いた。

「ありがとう」とわたしは言った。「びっくりパターンの完璧な実例でしたね」

わたしたちはみな時としてこんな反応をしたことがあるはずだ。しかし24年間アレクサンダー・テクニークを教えていて，あんなふうに**びっくりパターンにはまった人**には出会ったことがない。

とは言えわたしたちが頭と首でしていることは重要だ。なぜなら，人類を含むすべての脊椎動物には脊椎を無理なく長くさせ続けるための作用があり，この作用が活性化するためのカギは，首の筋肉に適切な張力が働いていることだからだ。二足歩行動物なら垂直に上方向に，四足歩行動物なら水平に，脊椎は長くなる。

人はみな，アレクサンダーが言うところの「押し下げ」をするが，それは単にバランスを失っているからだとわたしは思う。首の筋肉がいかにバランスの影響を受けるかを理解するのはとても簡単だ。体重が前と後ろ，両方の足首の上に均等に乗っている限りあなたは軽やかにつり合いのとれた状態でいられる。しかしどちらかの側により体重をかけた途端に重力が片側に引っ張ろうとして，あなたは立っているために緊張しなければならなくなる。

やってみよう。楽に立ってそれから後ろに傾いてみる。筋肉の緊張を感じとれるまで。前の方にも傾いてみる。同じように筋肉の緊張を感じとれるまで。どちらの場合も倒れないように首を固めながら，押し下げをしているだろう。

つまりバランスを失うと，あなたは自由かつ活発に力を使わず上方向に行かなくなる。そもそも上向きの方向性には自由と活発さが必要なのだから。体重がバランス中心の前側に半分，後ろ側に半分かかっているときだけ，あなたはつり合いのとれた状態でいられるだろう。このことを説明するために，あとでイラストに垂線を引いてみようと思う。

頭は立ったり歩いたりしているとき足首の上に来て，座っているときは股関節の上に来るのが理想だ。もしそうでなければ自分に余計な努力を強いる状態になっている。でも忘れないでほしい。わたしは**苦労せずに**体を起こしておけることについて話している。足首や股関節の上に頭が来るように無理やり**引っ張ったり**するのは，アレクサンダー・テクニークではない！

これについてはいろいろ楽しく実験することができる。「間違っている」と感じたり違和感があったりしても心配することはない。新しいことをすれば今までと違って感じるものだから。

ふさわしくないところで曲げてしまう

新しいクライアントには全員，自分が股関節だと思うところ，または自分が頭と首の境目の関節だと思うところを指さしてもらうことにしている。正確な場所を指させることはめったにない。たいていの人は次頁上，左図の矢印のところが股関節だと思っている。そこは実は骨盤の頂点だ。

本当の股関節はもっとずっと下にある。右の図の矢印がそれだ。

それから頭と首の境目の関節。頭蓋底と脊椎が出会うところはほとんどの人が次頁下，左図の２カ所のどれかだと思っている。が実際はそうではない。みんながよく思うのは脊椎が首の後ろ側の皮膚表面をなぞって上がってくるイメージだ！

実際はこのように頭のちょうど真ん中あたりを通っている（次頁下の右図のように）。

どうして多くの人が自分の体を誤解するようになるのか？　わたしたちは化粧やカメラのファインダーのために首を前に突き出す人々を見てきた。すると同じ動作を自分もやるようになる。背中を曲げる人々を見て，それがふつうだと思って，自分も同じことをする。

こうしたことは日常の言葉の中に刷り込まれてもいる。物を持ち上げるために（to pick something up）体を「かがめる（bend down）」と言うではないか

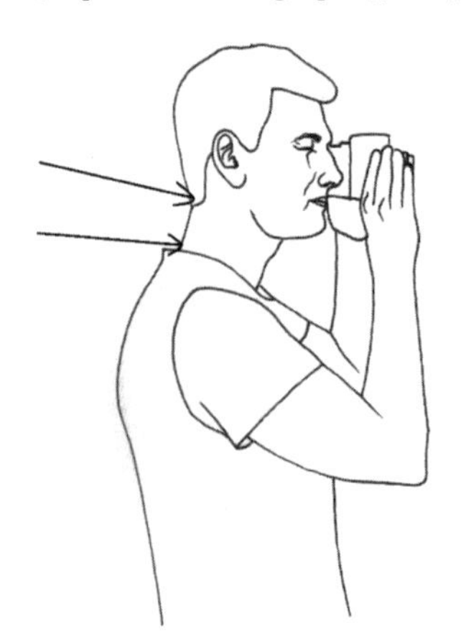

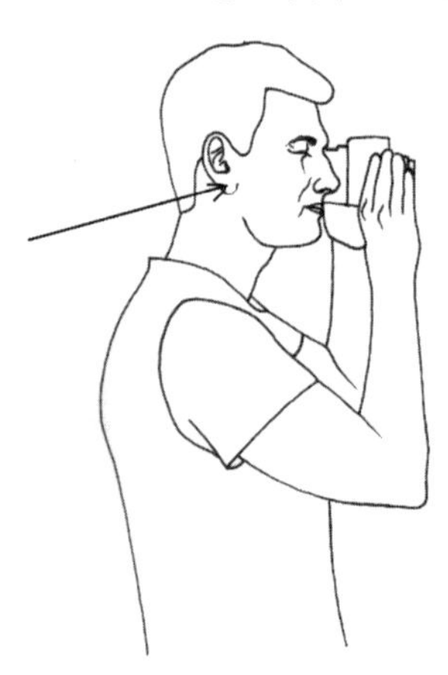

(上左の図)。

物を持ち上げるために体をかがめる必要はまったくない (上右の図)。体を曲げなきゃという考えそのものがおかしいのだ。脊椎を曲げる必要のある動作自体，わたしにはほとんど思いつかない。

いったんそのようにして体を「誤用」し始めると，関節のないところに関節があるように感じるようになる。そしてそんなふうに体を曲げるのが自然でふつうだと感じるまでに長くはかからない。

ではどうしたら体を曲げることなく，物を持ち上げたり床にタッチしたりできるだろう？　簡単だ。関節のところで折りたためばよい。あるいは関節

の蝶つがいで折りたたむように動けばよい。子どもたちがしているのはそういうことだ。腰を痛めることもないし見た目もはるかに良い！

自分のやり方のせいで痛みが生じている例はまだまだある。解決となる別のやり方と併せて紹介しよう。大人になるとたいてい腕を使いたがらないのは不思議なことだ。腕は曲げ伸ばしが得意なのに。むしろ曲げ伸ばしが不得意な背中や首を使おうとする。

自分の目の方をカメラやメイク用の鏡に近づけていて，その反対はやらない。紅茶をすすったりタバコに火をつけたりするにも，自分の身をかがめる。腰や背中が痛くなるのも無理はない。

無理なく体を起こしていたままで，手の方を浮かび上がらせて顔に近づける方がずっとシンプルでエレガントだ。もちろんこれは目線の高さの前方まで水平にスマホや本を浮かせなければならないってことではない。

あなたはもうすでに頭蓋骨の底の真ん中あたりに新しい関節を見つけたはずだ。この関節を使えば首をそんなに曲げることなく見下ろすことができる。

アレクサンダーが名刺を見ているあの姿を覚えているだろうか？

わたしは第６章で「自由で生き生きしてバランスがとれていれば，ある一つの構えでいる必要はない」と書いた。彼は明らかに名刺にのめり込む構えにはまっていない。

腰痛を引き起こす体の「誤用」のもう一つのよくある例として，バランスが崩れることと不適切なところで曲げることの二つがセットになっていることがある。両足首に均等に体重が乗っていれば体はバランスを保っていられると先に書いた。

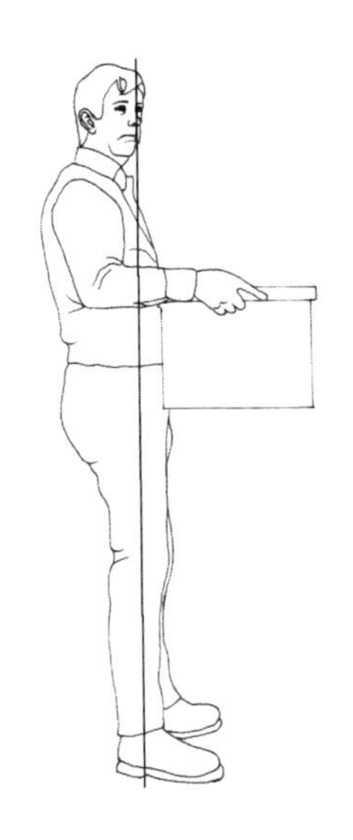

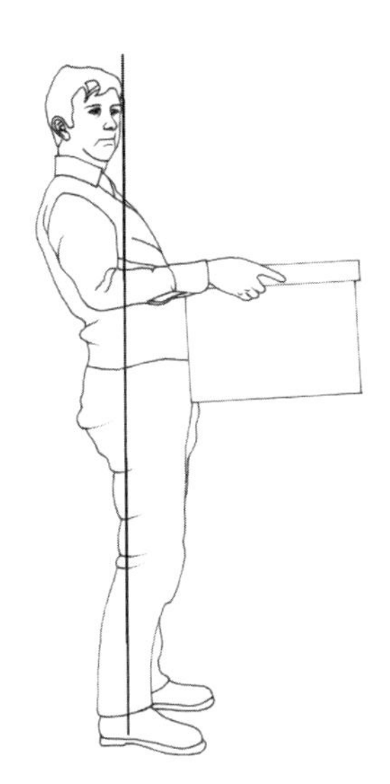

バックパックを背負っていたり赤ちゃんを抱いていたり本を詰めた箱を持っていたりすれば，それもバランスをとるべき重さの一部となる。本を詰めた箱を持ち上げるとき，体を足首から少し後ろに傾けてバランスを調節する。それは考えなくても自然に起こる。自分自身と箱の重さを合わせて両足首の前後に均等に分散するのだ。

しかしほとんどの人はこのようにはしていない。ウエストのあたりで背中を後ろに反らせて重さに対処しようとする。頁上右のイラストのように。

腰が痛くなるのは当然だ！　多くの女性が 10 代で腰痛が始まったとわたしに話してくれる。しばしば経験的に言えるのは，胸の重さに対処するために，ウエストのあたりで後ろに反らし始めるのが原因ということだ。

同じ理由から妊娠中の女性もひどい腰痛持ちになったりする。お腹のふくらみを持ち上げるためにウエストから背中を後ろに反らせるからだ。そこには関節はないので，代わりに足首から体全体を後ろに少し傾けてみればよい。そのやり方を見てみよう。アレクサンダー的なやり方をすると，力を使わずとも浮くように体が上に向かう。すると体の「指標点」が，もっとそろうようになるのだ。

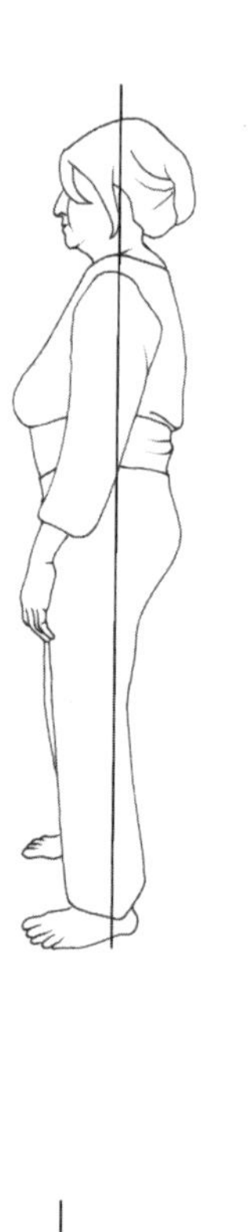

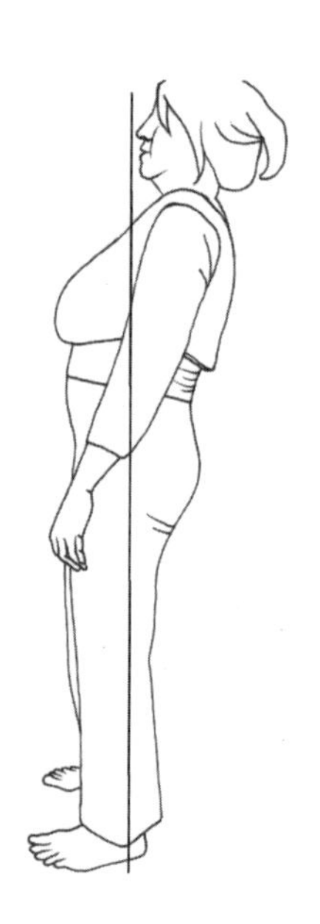

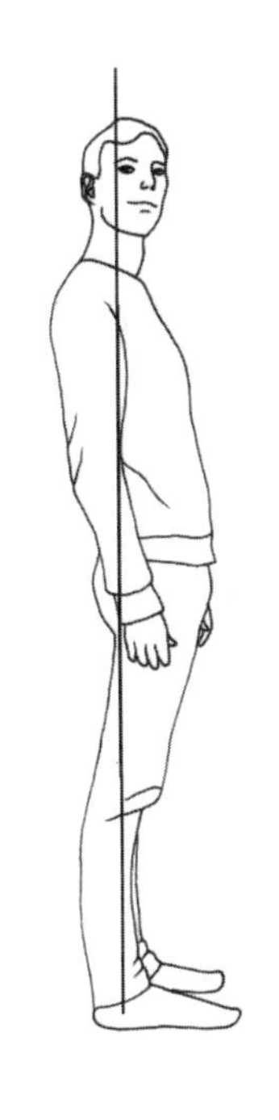

男性も似たようなことをしている。以前，体重を後ろにかけようとして背中を反らせたがる男性に教えていたことがある。その意図は，やせているように見せるためだった。しかしその人は深刻なほど体重オーバーなのが一目瞭然で，そのごまかしは他人から見たら無意味だったのだが。

彼にバランスのとれた立ち方をしてもらったら，楽だし痛みも減ったと言ってくれた。そして一言，太って見えるのでこの立ち方を続けるつもりはない，とも。

動きにおける間違ったイメージ症候群だ！

わたしたちは奇妙な立ち方を選ぶことがある。ここでよくある例を紹介しよう。骨格はそれ自体では不安定なので，筋肉がなければ床に落ちて骨の山になってしまう。膝関節は前の方に落ちていきたがるのでわたしたちはそれを後ろ側にロックする。股関節は後ろの方に落ちていきたがるので前側にロックする。そして頭を後ろに引いて，頭の重さが関節の前後に半分ずつかかるようにする。

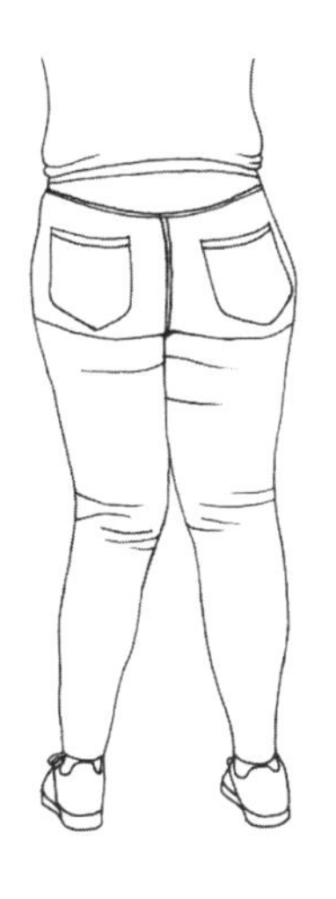

このように関節をロックする立ち方では，バランスもとれていないし楽でもない。地元のパブでは毎晩，こんな立ち方をする男たちがいる。彼らを見るとどこか痛くないかと気になってしまう。

膝や腰が痛くてわたしのところにくる多くの人たちが，こんな立ち方をしている。

また安定性のために，足幅を開く必要があると考える人もいる。同時に礼儀上，膝は寄せるべきだとも考えていたりして，つまりは両方一緒にやろうとする。わたしだったら30秒もすれば膝が痛くなりそうだ。

あるいは単にぐしゃっとする人もいる。これもまた膝，股関節，腰，首を痛めるもととなる。

これらすべてを解決する最適な方法は，アレクサンダー・テクニークを学ぶことだ。良い先生は，どうしたら**力を使わずに**すっとした立ち姿でいられるか見せてくれる。そして，どうしたら新しくて建設的な無理のない選択ができるか教えてくれる。しかしどれだけ強調しても足りないのは，ポイントは体ではなく選択だということ。体で「やっていること」を変えるという選択が，体によってなされることはない。選択は意識的思考によってなされる。

そして**体について**あなたがなにか選ぶ必要はない。**なぜならあなたはあなたの体そのもの**だから。

意識的であることと選択，そして変化。

これらについてさらに話を進めていこう。

第9章

選択の自由

人が自らの未来を決めることはない。
人は自分の習慣を決め，習慣がその人の未来を決めている。

F. M. アレクサンダー

それはあなたの体とか姿勢などの次元を超えた話だ……

どうして多くの人たちが，アレクサンダー・テクニークを姿勢の話であると解釈するのか，わたしにはそれが不思議でたまらない。ジャーナリストからインタビューを受けるたびに，姿勢じゃないんですよと言うのだが，それでもアレクサンダー・テクニークといえば姿勢だと彼らは書く。アレクサンダー・テクニークが腰痛に良い理由をかいつまんで教えてほしいとの依頼をあるジャーナリストから受けた。わたしは教えるつもりがないことを伝え，来てレッスンを受けて実際それがどんなものか自分自身で確かめてみてはどうかと提案した。

彼女は来た。そしてアレクサンダー・テクニークが教える自由，力みがなく生き生きした感覚，心と体の一体感を体験した。しかしレッスンの終わりになって彼女はこう言った。「期待してたのとは違うわ。アレクサンダー・テクニークは腰痛の人，特に姿勢が悪くて痛くなる人だけに効果があって，姿勢の良い人には関係ないって聞いてたから」

「そんなふうに言う人たちは，はっきり言ってなにも知らないんですよ」とわたしは答えたのだが，出版された記事を見てがっかりした。彼女が書いた記事は，アレクサンダー・テクニークは姿勢を改善することにより腰痛に良い作用があるとあった。

いつの時代もこんなふうだったのだろう。フランク・ピアス・ジョーンズが『変化への自由（Freedom to Change)』を書いたとき，出版社は「動きの中での体への気づき（Body Awareness in Action)」にすべきだと強く主張したらしい。なぜだ？　アレクサンダー・テクニークは本当に自由と変化のことなのに。そしてうまく教えることができれば，体への気づきが**少なくなる**ものなのに。

人づてに聞いた話ではジョーンズが本当につけたかった本のタイトルは『選択への自由（Freedom to Choose)』だったようだ。

わたしから習ってアレクサンダー・テクニークの先生になった人がいる。彼女はもともと腰痛がきっかけで，アレクサンダー テクニークを学び始めた。そして今は痛くないのがふつうになった。なのにアレクサンダー・テクニークから得られた最大の恩恵はそのことではなく，人生をより多くの選択肢から選べるようになったことだと言う。そんな彼女でもアレクサンダー・テクニークのことを初めて耳にしてから 11 年はやってみようと思わなかった。なぜならアレクサンダー・テクニークとは姿勢のことであり，正しい立ち方・座り方を学ぶものと聞いていたからだ。そしてそのどちらも自分に必要とは思えなかった。

いわゆる「伝統的な」アレクサンダー・テクニークの先生は，クライアントに立ち座りの動作をたくさんやらせる。彼らはそれを「チェアワーク」と呼ぶ。そのため，アレクサンダー・テクニークは正しい立ち方・座り方を学ぶものであると誤解されやすい。だが序章で述べたように，F. M. アレクサンダーが書いた 4 冊の本で使われた「精神と肉体のバランス」，「自分自身を知る」，「記憶と感覚」といった章のタイトルは，彼が教えていたのがボディワークや動き方ではないことを示している。「良い姿勢」という章もないし，「腰痛を減らすための立ち方・座り方」という章もない。

ジョン・デューイ教授は，影響力のある米国人哲学者であり，教育改革に取り組んだ人だ。彼はアレクサンダー本人とその弟からレッスンを受けたことがある。そして自分の受けたレッスンが体とは無関係だと知っていた。「レッスンで得られた一番の効能は，行動する前に立ち止まって考えられるようになったことだとデューイは言った」[17]と，ジョーンズが『変化への自由』で書いている。デューイが言いたいのは，自動操縦にまかせるのではなく，いったん間をとって意識的に新しい決断をすることだった。

一つ専門用語を解説しよう。間をとって新しい選択をするのが簡単にできることもある。しかしたいていはそううまく行かない。間をとっている最中，ものごとを古いやり方でやろうとする強い衝動におそわれるが，それにあらがって新しい選択をし続けなければならないのだ。アレクサンダーはこれを「抑制（inhibiting）」と呼んだ。彼はなにかを抑圧するという意味でフロイトがこの言葉を使うより先にこれを思いついた。

反応（reaction）は習慣的であるのに対し，応答（response）は選択的だ。習慣的な反応を抑制できると新しい応答のしかたを選択する機会が得られる。

それは目を覚まして新しい選択をすることなのだ……

いわゆる「悪い姿勢」の例を見てみよう。職業写真家だ。

彼女は「写真撮影モード」に入り込んでいる。それにともなって，体をつぶしてぐにゃっと弯曲させている。引っ張ったり，押したり，がんばらせたりして，彼女に良い姿勢を教えてもなにもならない。必要なのはモードに入らずにカメラを使えるよう学ぶことだ。

もし彼女が首が痛いと言って，あるいは自分がどれだけ不格好か気づいて，わたしのところに来たら，まず手始めにいかに上方向（UP）に行くかを教えるだろう。要するに，無駄な力を使わずにすっと体を起こしておく作用にスイッチを入れる方法だ。そうした作用の活性化は，彼女が自分や自分の周囲のものごとに気づけるようスイッチを入れることも含む。その方が体や姿勢をなんとかすることより大切だ。

それから，どうやってカメラを目の高さに浮かべていくかを教える。背中を丸めて目の高さをカメラに合わせるのではなく。とてもシンプルな話だ！

問題は，ぎゅっと押し縮めて緊張しながら普段やっていることが，彼女に

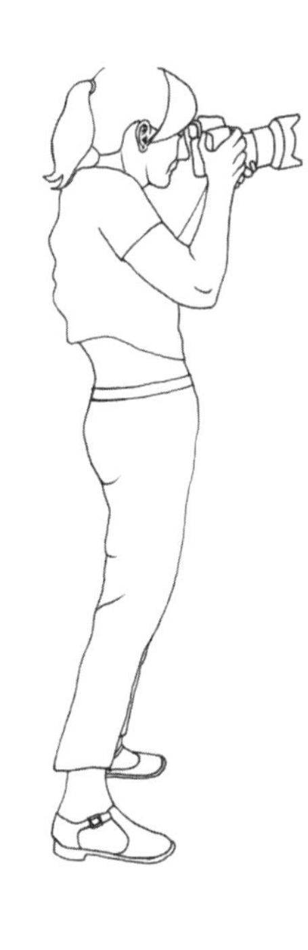

は正しく感じられることだ。無駄な力みのない新しいやり方は間違っていると感じられる。つまり彼女が学ばなければならないのは，正しいとは感じられないやり方をすることだ。どうやって？　いったん止まればよい。正しいと感じられることを抑制し，新しい選択をするのである。動く前に止まって考えることだ。

50代でハープを始めた知人がいる。ハープを弾くと体がとても痛くなると言う。弾くところを見せてもらったら，楽器と楽譜に向かって身をかがめていた。典型的な「悪い姿勢」だ。力みなく上方向にふわりと浮かんで，集中しすぎないようやさしくうながすと，彼女は泣きだしてしまった。学校でピアノを習っていたころの先生がとても厳しい人で，音を間違えるたびに定規で手をたたかれたと言う。

彼女は演奏するときにとてもピリピリしていて，それにより痛みを生じていた。痛みの原因は，間違えて弾くことを自分自身に許していなかったからだ。このような人に「まっすぐ座りなさい」とか「コア筋を働かせなさい」と言っても無意味だ。彼女は新しい選択――間違えて弾く自由を自分自身に許すこと――ができるよう学ぶ必要があった。

『変化への自由』もデューイを引き合いに出して同じことを語っている[18]。

「哲学の分野においては，前からもっている意見を変えずに保持することもあれば，なにか新しい事実が現れることで意見を変えることもある。アレクサンダー・テクニークを学んだあとでは，このどちらもが知的な意味でずっと簡単なことだとわかった，とデューイは言う。学者の中には，キャリアの初期に自分の立ち位置を決めたら，その後はいつまでも自己弁護のために才能を用いる者もいる。硬直的な他の学者たちと比べて，デューイの態度は対照的だ」

立ち止まって考えるとはすなわち選択することだ。習慣的に反応

(reacting) するのではなく応答 (responding) することだ。自分の意見や信念を変えることができるということは，柔軟でオープンマインドということだ。自分のやり方に固執するのとは違う。もし自分が正しいという確信があったら，あなたは自分の意見の中に閉じ込められている。バートランド・ラッセル風に言うと「世の中の問題は，愚か者や狂信者が確信に満ちており，賢明な者が疑いに満ちているということだ」[19]。

あるクライアントはアレクサンダー・テクニークのレッスンのおかげで満員電車の中でもなにかにつかまることなく立っていられるようになったと言う。レッスンでバランスが改善したのだ。しかしそのことで困ることもあるそうだ。「同僚と口論したあと1時間ほど不機嫌な気分でいるのを実は楽しんでいたのに，そうでない選択もできると知ってその楽しみがなくなったわ！」

口論しないことや不機嫌な気分でいないことを選べる。新しい選択をする自由だ！

ビクトリノックスというスイスアーミーナイフを作る企業がある。2002年，同社は職場研修にアレクサンダー・テクニークを導入した。900名あまりの従業員全員がアレクサンダー・テクニークのグループレッスンを受けた。また体に問題をかかえる人には個人レッスンの機会も与えられた。すると5年以内にビクトリノックスの欠勤率（病気や事故によるもの）は40%超下がった。それは年間で20,000人時の仕事量増加に匹敵する[20]。

体でやっていることを変えると病気が減るのはわかるが，事故が減るのはどうしてだろうか。

もう少し専門用語を紹介しよう。アレクサンダーはエドワード朝時代の言葉使いでこう言った。「達成 (achieve) したいゴール (goal) がある」のではなく「手に入れたい (gain) 結果 (end) がある」と。

彼が1910年に最初の本を著したころは，こういう言い回しがはやっていたことをわたしは知っている。『砂の謎 (The Riddle of the Sands)』という初期のスパイ小説で，主人公が目的を達成することを「結果 (end) を手に入れる (gain)」と言うシーンがある。自分自身にどのような犠牲を強いてもわたしたちは結果を得ようとするものだ，とアレクサンダーは言った。だから代わりに「目的に至るための手段」に関心を向ける必要がある。そこで二つの概念について考えてみたい。「**エンドゲイニング**」と「**ミーンズウェアバイ**」である。

エンドゲイニングな状態にあると，わたしたちの心と体はとにもかくにもゴール達成を目指すようになる。こうならないための代替策はゴール達成に至るプロセス（ミーンズウェアバイ）を大切にすることだ。目的地や夢や計画をもつという意味で「エンド」をもつこと自体は悪いことではない。この認識は重要だ。問題なのはそれを達成するやり方である。もし「良い姿勢」になりたいなら，足首から膝，股関節，肩，頭と首の関節までを鉛直線上にそろえることは，良い「エンド」ではある。しかしそのような形になるために引っ張ったり押したりするのは，最善のやり方ではない。

上方向にすっと浮かぶようにする方がより良いミーンズウェアバイであり，力を使うことなく足首から頭と首の関節までそろう結果になる。走りながら自己ベスト更新しか頭にないのはエンドゲイニングであり，走ること自体を楽しむのはミーンズウェアバイを大切にしている。

エンドゲイニングな状態にあると，わたしたちの視野は狭まり周囲の状況が見えなくなってしまう。そしてその結果たるや推して知るべしだ！　わたしのスクール出身の（アレクサンダー・テクニークの）先生がこんなことをフェイスブックに投稿していた。

「今朝，バス停までの道すがら，スマホっ首な人がいた。日の光も空の青さも桜の花の色も，路上に落ちている犬のうんこもその人は気づかない。うんこを踏みつけたことも気づかずにそのまま歩き続けていた。目はスマホに貼り付けられたままだ。職場に着いたらみんなのうわさの的，ちょっとした有名人になるだろう！」

エンドゲイニングな状態にあると，自転車専用レーンにうっかり踏み入れて自転車に当てられるかもしれない。また逆に歩行者に自転車で突っ込むかもしれない。ナイフ工場で箱につまずいて転ぶかもしれないし，犬のうんこを踏んづけるかもしれない。

アレクサンダー・テクニークは，行動する前に一瞬の間をはさんで（デューイのように）新しい選択をする方法を示してくれる。わたしたちはものごとを行うやり方に注意をはらうことを学び，その過程において，自分がどこにいて周囲になにがあるかさらに気づけるようになる。ゴールにばかり意識を集中するのではなく，ものごとを選択しながら習慣に頼らずに行っているときは，かえって事故も起こりにくい。

「チェアワーク」に話を戻そう。アレクサンダー・テクニークが正しく立ち座りすることでないとしたら，なんなのだろう？　アレクサンダー・テクニークのレッスンを受けたことのない人は，立ち方や座り方のことをあまり考えない。それがレッスンを受けると，立ち方や座り方が**選べる**ことに気づく。人は立ち座りがいかに楽にできるか気づいて驚くのだ。実際，体の感覚を感じないほどに楽なのだ。しかし肝心なのは，古いやり方を何年もやってきたあとで新しいやり方を**選択**しなければならないということだ。

選ぶのは「体で」どのようにものごとを行うかではない。体が自然にすることを「じゃまをせずに」許せるかどうかだ。体は立ち方も座り方も知っている。あなたはそれに干渉するのをやめなければならない！

自動操縦をオフにして目を覚ますこと

アレクサンダー・テクニークのレッスンでは，選択の余地がないと思っていたようなことにまで選択肢があることを発見する。いったん**どのようにやるか**を選べるようになると，次はそれを**やるかどうか**を選べるようになる。そのためには，それをやることに意識的（マインドフル）でなければならない。ぼんやりしていたり空想にふけっていたり，自動操縦状態だったりすると選択することはできない。

BBC ラジオ 4 で，動物に意識があるかどうか討論をやっていた。個人的意見としては大型類人猿，ゾウ，鯨類，タコ，カラス類には意識があると思う。というのも彼らは鏡に映った自分の姿に関心を示すからだ。その反応のしかたはうちのネコが鏡を見たときとは異なる。しかしながら討論の中でことさら興味をひいたのはそこじゃない。ある科学者がこう言ったのだ。「人類がみな意識をもっているとは思えません」。「地下鉄顔」で列車に乗っている人は，あまり意識があるとは言えないだろう。

列車で窓の外をぼんやりと眺めながらポテトチップスを食べる太った女性がいた。「地下鉄顔」の最たるものだった。彼女はほとんど意識がない。自分がどこにいるかも，もしかしたら食べていることすら気づいてないかもしれない。家に帰れば会いたいだれかが待っていて，パッと明るくなるといいと望むが，それはないとも思う。

おそらくどんよりした表情のままオーブンにピザを入れ，テレビをつけるのだろう。静かな絶望に満ちた人生だ……。

アレクサンダー・テクニークは，人生において目を覚まして選択し始めることを教える。アレクサンダー自身，自分のテクニークが意識的な思考を速め，人が自分の反応をコントロールするのを助けると言った[21]。反応は習慣的であるのに対し，応答は選択的だということを思い出してほしい。意識的であり続けるとともに，自動操縦にまかせず，**選択**してものごとを行う能力を開発することについて彼は話しているのだ。

ストア派，実存主義，ライヒ，そしてアレクサンダー・テクニーク

選択の自由をもつことがアレクサンダー・テクニークの核心にある。そしてこのことは，世界でもっとも影響力あるいくつかの哲学学派にも言える。

ストア派と選択

わたしはこの章を「ストア派のように生きる 1 週間」キャンペーン（https://modernstoicism.com/stoic-week/）の開始とともに書いている。一般に信じられているのと違って，ストイックな人たち*はみじめな生活をして，ただすべてを我慢しているわけではない。自己を制して，自分ではコント

訳注* 日本語でもふつうに使われる「ストイック」という言葉はストア派に由来する。

ロールできないあらゆることに耐えることに幸福への秘訣があると，彼らは信じているのだ。

ストア派の哲学者エピクテトスはこう言った。「幸福への道は一つしかない。自分の意思の力がおよばないものごとについて，心配するのをやめることだ」[22]。どうして人は天気のことで愚痴を言うのだろう？　できることはなにもないのに。なぜ不満に思うのかはわかる。雨のせいでピクニックが流れたとか大事なイベントがだめになったとかだろう。しかし寒いとか曇ってるとか，毎日毎日不平を言うのはどうだろう？　イギリスの天気は毎日変わるんだから，ただ受け入れてみてはどうだろう。さもないと自分がコントロールできないことによって不幸になる。実際には自分を不幸にしているのは悪天候ではなく，悪天候に対する自分の反応（reaction）だ。そして同じ悪天候に対して違う応答（respond）のしかたもできる。ハムレットも「ものごとには善も悪もない。考え方次第でそれは決まる」[23]と言っているように。

ダニエル・カーネマンは『ファスト＆スロー　あなたの意思はどのように決まるか？』（邦訳：早川書房，2014年）で，わたしたちは「評価」することで「体験」したことを上書きしていると述べた[24]。評価なしで天気をただ体験することもできる。また別な選択もある。もう１枚重ね着して傘を持ち歩くのだ。スカンジナビアでは，悪天候などない，あるのは不適切な服装だけだ，と言う。あるいは自分に合う気候のところに引っ越せばいいと。

あなたもストア派のように選択することができる。自分ではコントロールできないことを受け入れて，自分が選べるものごとについて変えていくのだ。たとえば老化現象。シワができることは避けられないのだからそれは受け入れて，自分が影響をおよぼせることについて，なにをどう選ぶかを学べばよい。年寄りくさい動きをしないといったように。

変えられないことについて心配するのはやめて，変えられることに関心を向けよう。自分自身について，自分がやること，そしてそのやり方について。あなたは自己を「制する」ことができる。

ストア派の人々は，あらゆる行動が選択によってなされるべきだと信じていた。習慣とか食欲とか感情からではなく。これはまさにアレクサンダーが著書で主張したことだ。彼の発見がわたしたちに教えていることでもある。彼もまた，わたしたちは自己を制することができると信じていた。「人は自分の生きる環境に対して抵抗したり，征したりして，最終的には統べる能力がある。その秘密は人の思考の中にある」[25]

食欲や感情があるのはいい，しかしそれらに決断をまかせるのはいい考えではない。もし食欲に身をまかせていたら，わたしは毎晩ビールを飲みキューバ葉巻を喫っているだろう。幸いにもわたしは理性をもっていて，いつ飲むか，いつ喫うか，選ぶことができる。わたしのかかりつけ医もグリルの肉とワイン三昧な生活をしたいと言うが，そうはしない。もし感情に身をまかせていたら，電車で反対側の席に足を乗せ，歌詞が聞き取れるほどの音量でMP3プレーヤーをかけている輩をしかりつけるだろう。だがそうしない選択を理性的にしている。

地下鉄で「地下鉄顔」になる習慣があってもいい。つめをかむ習慣があってもいい。**そうすることを自ら選んでいるのなら**。しかし「地下鉄顔」で半分意識が飛んでいる人のほとんどは，自分がそうしているとは知らないし，もしくはそれが全然ふつうだと思っている。わたしにしてみるとそれは悪い習慣だし，もったいない生き方に思える。

悲しいかな，つめをかむ人はほとんどがやめたいけど，どうしたらやめられるかわからないのだと思う。やめられない習慣があるとしたら，あなたは習慣に支配されている。

「選択」という言葉を何回もくり返してきた。アレクサンダー・テクニークは選択のしかたを示してくれる。もしそうしたければ，わたしは腰を痛めるやり方で座ることもできる。もしそれを選ぶなら，パブでみんながやるように膝を過伸展でロックして立つこともできる。スマホに向かって前かがみになって首を痛めることもできる。つめをかむことも，表情のスイッチを切ることも。大声で天気に文句を言うことも。横柄な態度をとることも。同僚と口論してあとから不機嫌な思いをすることも。**そうすることを自ら選んだ場合には**。

こうしたことをすることも選べるし，しないことも選べる。ただ習慣的にやってしまうという泥沼にはまっていない。だがこういうことをする人は，たいてい自分がやっていることに気づいていないし，選べることも知らない。選択の自由があることを教えると，人は解放された感じがして幸せになる。習慣のかたまりであることをやめると，人は素の自分自身にかえっていく。しかし素に戻ることは，自分自身に責任をもつことでのみ，初めて可能になる。

実存主義と責任

本書の序章で，自分がどのようにものごとを行っているか読者自身が考え直すきっかけになればと思う，と書いた。『実存主義者になる方法：現実に目を向けて，冷静になり，言い訳をしない（How to be an Existentialist: How to Get Real, Get a Grip and Stop Making Excuses）』において，ゲイリー・コックスはこう言っている。「読者の**振る舞い**や行動のしかたを変える」きっかけになることを期待していると。コックスによれば「人生についての考え方や感じ方を本当に変えることができるのは，今までと違う**行動をとること**，他者に反応するだけでなく自ら動くようにすること，常に自分自身に責任をとることだけだ」[26]。

これはまさに，アレクサンダー・テクニークがわたしたちに教えていることだ。

コックスは続ける。「自由とは責任からの自由ではない。自由とは選択をする自由であり，それゆえに責任をとることである」[27]。わたしたちの悩みのほとんどすべては，どうやってものごとを行うかによって生じる。しかしほとんどの人は自分がものごとを行うやり方を変えたがらない。つまり自分自身の責任をとるのは嫌なのだ。わたしたちはものごとに変わってほしいと願うが，自分がものごとを変える立場になるのは嫌がる。食事や生活スタイルを変えるよう言われてもやらないが，薬ならすぐ飲むという高血圧患者を大勢見てきた。

腰痛でわたしのところにやって来る人にも似たようなことがあった。職場での座り方によって腰痛になっているにもかかわらず，その座り方を変えようとしない。変えるよりむしろ慣れ親しんだ方法で座りたいのだ。そして治すのはだれかにやってもらいたいのだ。あるクライアントが実に腕のいいオステオパスがいて，16年も通ってると言っていたっけ。

どうなっているのだろうか？　腰痛になるとオステオパスに行って治してもらう。腰痛から解放されて仕事に戻る。すると痛みを引き起こすようなことをもっと盛大にやって，またオステオパスに行かなければならなくなる。16年間何度も何度も。この人には，痛みを引き起こしていることをどうすれば選ばずにすむか，どうすれば自分自身に責任をとれるようになるか話した。

自分の腰痛を解決する責任をだれか他の人にあずけることはできる。カイロプラクティックで「カチッ」とやってもらったりマッサージを受けたりとか。あるいは「コア筋」を強化したり，ウェイトトレーニングに取り組むこともできる。しかし痛みを起こすもとになることをやり続ける限り，原因は残り続ける。必要なのは新しい選択のしかたを学ぶことだ。

選択と責任。1回遅刻するのは間違いですむ。ひんぱんに遅刻するならそれを選んでいる。選ばないこともまた選択なのだ。列車の中でポテトチップスを食べるかわいそうな女性の話があった。彼女は過去にどこかで，表情のスイッチを切ることを選んだことがあるはずだ。おそらく最初は本当に短い間だけそうしていたのが，時の経つにつれ増えていき，今ではぬけ出せなくなっている。彼女はもう無意識に選ばないことを選んでしまっている。だれかの助けなしに自分で出口を見つけることはできそうにない。彼女にはアレクサンダー・テクニークと良い先生が必要だ。

ライヒとスイッチオフ

なぜ彼女はスイッチを切ってしまったのか？　たとえ半分死んだような状態だとしても，世の中から引きこもることが安全で居心地が良い場所のように感じたのだろう。精神科医ヴィルヘルム・ライヒはジグムント・フロイトの助手の一人として働き，のちに離れた。強力なオーガズムを得ることができなければ，神経症と無縁の完全に解放された人生を送ることはできないと，ライヒは信じていた。

ライヒは人々が人生の他の部分を向上させるために，セックスの問題に向きあうことを望んだ。わたしに言わせればそれは本末転倒だ。あの列車の女性のようにスイッチを切っていたり，あるいはただ元気がなかったりするだけでも性的な反応が弱まる。緊張しすぎていたりあまりにスイッチが切れていたりして体がうまく動かなければ，完璧なオーガズムを得ることはない。仕事に気持ちを奪われていたり，自分が10点満点のうち何点くらいか気にしていてもそうだ。意識を変えればあなたのセックスも変わる。

ついでに言うと，ほとんどすべてのアレクサンダー・テクニークの先生がテクニークを学んで良かったことの一つとして，セックスが良くなったことをあげるそうだ。

しかしライヒはいいところを突いてもいる。「圧倒的多数の人がセックスをあきらめている。このことが意味するのは，人生における安逸と空虚，あらゆる健康的な活動が停滞し主体性が欠如した状態，あるいは異常な残虐性やサディスティックな嗜好だ。セックスをあきらめることは，しかし同時に人生を比較的おだやかなものにしてくれる。生きている最中に，もう死が予感されているかのように」[28]

意識と選択，そしてこの二つがもたらす自由を代償にしてはいるが，列車の女性にとって人生は比較的おだやかなものだろう。自分自身のスイッチを切ってしまえば，ネガティブな感情や困難な体験をしなくてもすむかもしれない。しかしそれはまた，ポジティブな感情や喜ばしい体験からも自分を切り離してしまう。

あまりにも悲しいことだ！　もう死が予感されているかのように……。

世の中から自分自身を切り離すには，もう一つの方法がある。ライヒはそれを肉体の鎧（Body Armouring）とか性格の鎧（Character Armouring）と呼んだ。わたしたちは筋肉を緊張させてものごとを感じないようにする。デイヴィッド・マイロウィッツが『初心者のためのライヒ（Reich for Beginners）』で「人は自分を守るために一種の鎧を作る。外界からの攻撃だけでなく自分自身の欲望や本能からも身を守るために」[29]と書いているように。

J.C.セーガンの『コンサイス現代医学辞典（Concise Dictionary of Modem

Medicine)』によれば[30]，「肉体の鎧（body armour）とは人格を形作るとともに人格を世界から守るための一連の姿勢や表現の組み合わせを言う」。

自分を守るためにスイッチを切ったり筋肉を緊張させたりする。世界はそんなに危険なところだろうか？　ハープ奏者が50歳を過ぎてから気づいたように，そんなはずはない。

素のままの自分でいること VS 他人の目を気にすること

実存主義の考え方をもう一つ紹介しよう。他者のための存在である。トーマス・フリン教授の説明によればこうだ。「人は自分が思う自分自身のイメージに合わせた立ち居振る舞いをするものだが，その自分のイメージを他人の目線で決めてしまう」のが，他者のための存在である[31]。

第6章で「わたしたちがしている多くのこと，わたしたちが入り込んだり演じたりするモードは，他者に気に入ってもらったり，人をなだめたりするためのものだ。そうすることで自分がなにをしているかを示し，社会的な期待にもこたえようとする」と書いた。

これが動きにおける他者のための存在だ。

わたしたちは他人にどう思われているかで思い悩み，自己を定義するのに長い時間をかけてしまうものだ。10代のわたしは肩を後ろに引き，歩き方を変えた。そのために痛みと緊張が生じたが，もとはと言えば他人の目が気になったせいだ。コックスは，サルトルがいかに口ひげを軽蔑していたか，おもしろおかしく書いている。サルトルは口ひげを，中流階級のおじさんがはまる自己満足の最たるものと見ていたそうだ[32]。顔をそると決めておきながら，あそこだけちょこっと残すのはなぜだろう？　他人に自分をどう見てもらいたいかという思いに他ならない。

もしも世界中の人が煙のごとくパッと消えて自分一人だけになったら，口と鼻の間だけ残して顔の他の部分のひげを全部そったりするだろうか？　もし二度とだれにも見られないとしたら，脚やわきの下を脱毛したり，化粧したりするだろうか？　髪はどうするだろう？　もし望めばどんな車にも乗ることができて，でもそれを見る人がだれもいないとしたら，特注ナンバー

(アメリカ人が「ヴァニティ(見栄)・プレート」と呼ぶのはたぶん正しい)で，派手な車を選ぶだろうか？

こういうことをすべきではないと言っているのではない。わたしの提案は，なぜそうするのか本当に必要なのか自問してみることだ。あかの他人が自分のことをどう思うか，どうして気になるのだろう？　あなたの友達は，あなたの髪とか口ひげとか車のことなど気にしていないだろう。もしそんなことを気にする友達なら，もっといい人を友達にした方が良い。

「わたしたちは，他人にどう思われるかを**意識して**自己を定義する」と書いた。他人が実際に思っていることと，他人はこう思っているに違いないとわたしたちが思っていることが同じだと，どうしてわかるだろう？　誤ったイメージ症候群を覚えているだろうか？　床屋で髪を切ってもらっていたら，となりの客が車を初めて買う話をした。床屋は「そりゃ，お客さん，BMW でなくっちゃね。でないと大したやつじゃないと思われるから」と応じた。

あなたが BMW に乗っているかどうか気にするのは，BMW に関心のある人だけだ。それ以外の人は車種に気づくこともなければ，大したやつじゃないと思われるのが嫌で BMW にしたとも思わないだろう。ルイ・ヴィトンのロゴがついた茶色いバッグが好きな人だけが，それに似たバッグに心を動かされる。それ以外の人はバッグに目を向けることすらないだろう。もしかしたらお金の使い方をわかっていないと思うかもしれないが。

車やバッグに費やしたすべてのお金をもってしても，思うような印象を与えることはない。地下鉄でサングラスをかけるのがかっこいいと思うのは，地下鉄でサングラスをかける人だけだ。タトゥーを入れる人だけがあなたのタトゥーに魅せられる。人はあらゆる痛みや労力のすえに自分の個性を印象づけようとする。それがうまくいく場合でも，そのためにやっているあらゆることは，自分と「同類(tribe)」の全員がやっていることのヴァリエーションの一つに過ぎない。

こういうのは個性ではない。個性的だと思われていることへの同調だ。個性的になる一番の方法は素の自分自身でいることだ。なにかをしたり買ったり着たりするより，その方がずっとシンプルだ。

他者のための存在の最たる姿は自撮り棒だ。なぜみんなバッキンガム宮殿じゃなくて，バッキンガム宮殿にいる自分を撮るのだろう？　ツール・ド・フランスで自撮りのため後ずさりしてレーンに入ってしまい，選手を転倒させた人もいる。走り去る自転車の選手たちを背景にした自分の写真を友達に見せることの方が，競技を楽しむことより大切だったのだろう。

なぜそこまで他人の意見に影響されるのか？　なぜ素のままの自分でいて自分自身の選択をしないのか？　その方がとても簡単だし人生はずっとシンプルになる。

素のままの自分でないとき，あなたは演技しているか，見栄を張っているか，隠れているかのどれかだ。列車の女性は隠れていた。大したやつじゃないと思われたくなくてBMWを買うのは見栄を張っている。顔でやることはすべて演技だ。問題用紙に覆いかぶさって顔をしかめれば，がんばっていると先生は思ってくれるが，これも演技だ。それは習慣になり，今では上司に見せるために顔をしかめている。あるいはあなたが上司なら，自分が「積極的傾聴」をしてるよう演じるか，偉い人であるかのように演じている。

偉い人のふりをしてだませる人がいても，だませなかった人はあなたの背後で笑っている。自分のために演じることもある。「決然とした」顔になることで仕事をがんばっている**気分**が盛り上がるかもしれない。でも実際に仕事がはかどるわけではない。それは演技だから！　そういうのは必要ない！

物理学者のリチャード・ファインマンが言ったように「一番守るべき原則は自分自身をだまさないこと。もっともだまされやすいのは自分自身だから」[33]。

演技すること，見栄を張ること，隠れること。これらはみな他者のための存在のヴァリエーションだ。わざわざそうしたイメージに合わせるのは悲しいことだ。他人の目を意識してそのイメージを決めるのはさらに悲しい。どうして，ただ自分のありのままでいられないのだろうか？

わたしのスクールを出たアレクサンダー・テクニークの先生は，仲間をひきつけるためにちょっとくらい演技したり，かっこうを気にしてもいいと言う。しかし問題はいつそれをやめるかだ。どの時点で素のままの自分に戻すかだ。一度だけ，わたしはパートナー探しのマッチングサイトで会った女性が，年齢のサバを読んでいたことに失望したことがある。純朴に過ぎるかもしれない。でもどれだけ長く付き合えば本当のことを人に言う気になるのだろう？

パートナーのうちの片方あるいは両方とも，自分自身でいられないような関係に，なんの希望があるだろう？『クレージータイム――離婚から立ち直り新しい人生を立て直す（Crazy Time. Surviving Divorce and Building a New Life)』の中で自身の離婚について語りながら，アビゲイル・トラフォードは「12年間，自分が結婚している相手のことを本当には知らないままでいる」[34]ことに気づいたと言っている。

誤ったイメージ症候群があることを思い出してほしい。演技して見栄を張ることで自分が望むような印象を与えているかどうか，どうしたらわかるだろう？ 自分が気をひきたいと思っている人たちは，屋内でサングラスをつけているあなたをかっこいいと思っているだろうか？ あるいはただ車やタトゥーがあるだけであなたに一目置いて関心をもってくれるだろうか？ 車に魅入られてあなたのパートナーになっているとしたら，あなた方はどんな関係性を育んでいくのだろう？

社会学者でありアナウンサーでもあるトム・シェイクスピア教授は小人症だ。彼はラジオ4でこう語った。「僕は人と見た目が違っても魅力的だと思われるのが可能だと知った。人に好かれるかどうか，望まれるかどうかはだいたい人となりの問題なんだ。気持ちがあたたかいとか，会話が楽しいとか，とりわけおもしろい人かどうかとか」

サングラスや車でデートまではこぎつけるかもしれない。でも関係を長続きさせるものではないだろう。あたたかさやユーモアはずっと続くのだから，そちらを学びたいものだ。

悲しいことに，多くの人が**やる**ことや着るものや買うもので人に印象を与えることを期待する。どうしたら自分自身でいられるか本当には知らないからだ。わかる。わたしの人生もそんなふうだったのを覚えているから。20年にわたりアレクサンダー・テクニークを学んだことと，教えた経験が，わたしを素の自分らしさに導いてくれた。今ここにただ自分自身で**いられる**ようになった。

素のままの自分自身でいるとき，人はあたたかくユーモアがある。生まれつき冷酷でユーモアがない人がいるとはわたしは信じない。歳をとるにつれて冷酷さを「獲得」したか，それを身に付けざるをえない生い立ちだったのだろう。1973年にノーベル生理学・医学賞を共同受賞したニコラース・ティンバーゲンは，家族とともにアレクサンダー・テクニークのレッスンを受けてから，全般的に楽観的で明るくなったと言っている[35]。

アレクサンダー・テクニークでは，素の自分でいながら気持ちを楽にしたり，自分に自信をもつことを学ぶ。心と体を一つにすることを学ぶと，身のこなしが良くなり明るく開かれた表情になる。それはとても人目をひくし魅力的だ！　ダヴの女性たちのように明るく元気な顔，ありのままの姿でいて心地よく過ごせるような信頼。これがあれば，だれも高価な車やハンドバッグを必要としない。

アレクサンダー・テクニーク：パブに行く人のための禅

ただ素のままの自分であれ，と言ってもそもそも自分とはなにものだろう？　「姿勢や表情の集合体」なのか？　習慣，努力，恐怖，緊張，自己主張をたばねたものなのか？　それらすべてをそぎ落としたらなにが残るだろう？

学校を退職した先生が，アレクサンダーのレッスンを初めて受けるためにわたしのところに来た。数分で彼女は言った。「これが頭がないってことね。今までずっとこれを探してたの」。翌週，彼女はダグラス・ハーディングの本『頭がないことについて：当たり前なことの再発見と禅（On Having No Head: Zen and the Rediscovery of the Obvious)』を持ってきた。彼女は正しかった。わたしが教えているのは**まさに**それだ。ハーディングは，体験をそれ自体として受けとめて評価を差しはさまないことが可能であり，そして考えなくてもよいことに気づいた。より正確には，考えるためになにかする必要はないということだ。「考えるモード」のためにやっているいろんなことを覚えているだろうか？　筋肉が考える行為の役に立つことはなにもない。アレクサンダー・テクニークのレッスンで最初に気づくのは，ものごとを行うためになにか**する**必要はないということ，次に気づくのは考えるためになにか**する**必要はないことだ。

古い決まり文句で「あなたはヒューマン・ビーイング（Being）であってヒューマン・ドゥーイング（Doing）ではない」という言葉どおりだ。

モードとはすべてすること（doing）に関わるものだ。メイクを「すること」なしに，なんら労力をかけずともメイクはできる。歌手の例で見てきたように，歌うということをやらない方がうまくいく。紅茶を飲んだり，タバコに火をつけたりするのに前かがみになる人はそれを**すること**（doing）をしている。体がすっと起きたまま目や手がすべきことをする人は，ただ**いる**（being）だけだ。

今ではわたしは目を覚ましているときは，ほとんど体への気づきなく過ごせている。考えるプロセスへの気づきもない。読みそびれたかもしれないから，もう一度言わせてもらおう。体への気づきもなく，考えるプロセスへの気づきもないのだ。ものごとをやるためになにかをすることもなく，考えるためになにかをすることもない。まるで中国の古典概念，**無為**のように。中国哲学の専門家であり著作もあるエドワード・スリンガーランドはこう述べている[36]。

「無為，あるいはがんばりを必要としない行為（effortless action）の極意は，人がもっとも活動的かつ有能なときのダイナミックかつ自己を意識していない精神状態と一致する。無為になっている人はなにかしているという感覚がない。やっている感覚がない一方，素晴らしい芸術作品を創造したり，複雑な社会状況の中で交渉をスムーズにやりとげたり，世の中全体に調和をもたらしたりする。無為な状態の人にとって，適切で効果的な行動は自ずから自動的，自発的に現れる。考えたり，やろうとしたりする必要がないのだ」

無為とは「ノン・ドゥーイング（non-doing）」のことだ。ノン・ドゥーイングとノット・ドゥーイング（not-doing）では大きな違いがある。「頭の中」だけで生きてる人種の最たるようなのが知り合いにいて，マインドフルネスをばかにしてこう言った。「それってただ座ってトランスに入ることだろ」

本当は真逆で，完全に目覚めていることをマインドフルネスと言う。座ってトランスに入ってるのはむしろ「地下鉄顔」でスイッチが切れてる人の方だ。マインドフルネスと言えば，目を閉じて自分の思考や呼吸を意識することだと思う人もいる。

もちろんそれにも価値がある。しかしわたしの意見としては，それは伝統的な瞑想であってマインドフルとはまた別のことだ。うるさく聞こえるかもしれないがこの二つには重要な違いがある。フランスでアレクサンダー・テクニークを教えていたとき，通訳はマインドフルを「完全に意識的に（en pleine conscience）」と訳した。英語なら in full consciousness だ。この説明の方がずっといい。

起きて活動している時間のほとんどを，わたしたちは目を開けて過ごしているわけだから，目を閉じて「完全に意識的」になる練習をするのは，ちょっと無理のある考えだとわたしは思う。目をつぶってマインドフルになる探求をすると，目を開けてやることすべてにそれを翻訳しなければならない。だったら目を開けてマインドフルの探求をした方がよい。

ハーディングは自分の禅へのアプローチを「双方向の瞑想」と呼ぶ。自分の思考だけではなく，むしろ自分をとりまく周囲の世界との対話における瞑想である。わたしはそれを３次元のマインドフルネスと呼んでいる。

わたしの学校を出たアレクサンダー・テクニークの先生がこう言ったことがある。「禅は好きではない。意味がないから」。まるで洞窟の中で脚を組んで座りながら思考を明晰にしようとするものだと思ったようだ。禅はその逆で，動きの中で気づくことなのだ。騎馬武者であれ剣士であれ弓の射手であれ，達人になるために侍は禅を学んだという。ゴールディと銃の話を思い出してほしい。

ノン・ドゥーイングの状態で，創作したり，複雑な状況で交渉したり，本を書いたり生計を立てたりすることが本当に可能なのだ。あるクライアントが，生きるためにがんばることはほとんど必要ないことを実感して，涙ながらにこう語った。「今までの人生ずっと，それはもう**一生懸命**だった」

伝統的なアレクサンダー・テクニークの先生からレッスンを受けていて，アレクサンダー・テクニークが姿勢や正しい座り方のことだと思っているとしたら，禅と結びつけるのはこじつけだと思うかもしれない。でもアレクサンダーの姪にあたるマージョリー・バーロウは，1969年にアレクサンダー・テクニークを「現代の禅の秘訣」と表現した。

長い文章だが，禅で得られる効能についてハーディングの考えに耳を傾けよう。3次元のマインドフルネスで得られる効能も同じだ。「スピリチュアル」な部分は，少しわたしなりの編集をしているが。

> 「通常，これらには感覚が研ぎ澄まされることが含まれる……そして……精神と肉体が相互に関連する一連の変化がある。その変化の中には，「頭脳先行（heady）」で途切れ途切れのこま切れだった気づきや注意が「体全体（whole-body）」で持続するようになることも含む……とりわけ目や口や首のあたりのストレスが減り……重心が徐々に下がる……呼吸がぐっと深くなり，実際全体として落ち着いてくる……そして下がるものとバランスをとるように全体的に持ち上がる感覚があり，ある種の高揚感（まるで空にとどくほどにまっすぐ背中が伸びてゆくような）や創造的な気分の高まり，わきおこるエネルギーと信頼感，まっさらで子どものような自発性や遊び心，そしてなによりも軽やかさがある」

これはまさにわたしがアレクサンダーで得たものと同じだ！　ハーディングはまた数々の禅師の言葉を引用していて，12世紀にさかのぼるものもある。

- 憨山徳清「散歩に出かけていた。突如として立ち尽くしたまま身心の感覚が消え失せた。わたしは明晰で透きとおるように感じた」

- 道元「身心脱落」
- 白隠「忽然として，心もなければ体もなくなっていることに気づいた」

ハーディングや彼の引用した禅師たちが述べているのは，まさにアレクサンダー・テクニークがもたらしてくれるものだ。うまく教えることができた場合にアレクサンダー・テクニークから得られる恩恵は，禅で得られるものと変わらない。メソードは関係ない。鐘とか銅鑼とか脚を組んで座り壁を見つめることも関係ないのだ。もっとずっと単純な話だ。

イギリス出身の哲学者アラン・ワッツも『汝自身であれ（Become What You Are)』で「あまりにも禅くさい雰囲気をかもし出すものには，むしろ用心している。関連のお道具類一式を日本から運びました，なんて言われた日には特にね」[37]と言っている。

「この境地に至る唯一の方法は，躊躇して先延ばしすることなく，すぐにただやることだけだ」と彼は言う。20分じっと座り続けることでも目を閉じて呼吸に注意を向けることでもない。

ハーディングは感覚のスイッチを入れることを説く。とりわけ視覚を使うようにと。そして頭で考えすぎないように，体のことは放っておくようにと言う。これはわたしのアレクサンダー・テクニークの教え方ととても似ている。「注意を失うと」体が押し縮められるように感じるという話を禅の実践者のブログで読んだ。注意力のスイッチを入れると体は「展開（de-compress)」されてくるだろう。前に述べたように頭と首と背中の関係性を考えるよりシンプルだ。スイッチを入れれば自ずとそれらの関係性は整ってくる。

禅の実践者は「月」それ自体と「月を示す指」を間違わないようにと言う。指は教えであり月は教えの結果である。弓道において，禅の心得がある弓引きは的に正確に当てようとはしない。彼らが学ぶのは，いかにして素のままの自分でいながら弓を射る行為が「ただ生じる」ようにするか，そしていかにして起こることのじゃまをしないかである。アレクサンダー・テクニーク業界の「チェアワーク」において，筋緊張を手放すことや姿勢のあれこれは，悲しいことに月を示す指に過ぎない。

アレクサンダー・テクニークの先生によっては，指の方で世界的なプロになってしまった人もいる。もちろんいろんな意味でそれが役に立つこともある。最適な立ち方・座り方とか，車をみがく動作における正しい「アラインメント」を写真付きで解説する本を出す先生もいる。そういう本を読んで動きが変わるとか，姿勢の問題や首の痛みをどうにかする助けになる人が，いないわけでもないだろう。しかしこれは**月**ではない。アレクサンダー・テクニークが提供できることはもっとたくさんある。

アレクサンダー自身が発見したことは，マインドフルネスのための**ミーンズウェアバイ**だ。それに対して，姿勢にまつわるあれこれはすべて「ボディフルネス」と呼んでいいだろう。アレクサンダー・テクニークは「動きにおけるマインドフルネス」，「３次元のマインドフルネス」だ。適切な選択というのは今ここにいるとき，つまりあなたがマインドフルであるときのみ可能なのだ。

逆に犬のうんこを踏んづけるスマホっ首は，動きにおけるマインドレスネス（mindlessness）の典型だ。アレクサンダーはそういう人を「生きた愚か者」呼ばわりしたけど，わたしはそれよりは同情的だと思う。

近所のニューエイジセンターで開催するマインドフルネス・セミナーのチラシを同僚が見せてくれた。表紙には金色の仏陀，内側にはキャンドルの絵が描かれていた。わたしにはマインドフルネスと仏教やキャンドルを結びつけなければならない理由がわからなかった。数日後，わたしは地域のストリート・フェスに出展していた。フェスが終わって片づけているとき，なじみのクライアントがやって来て，だんなさんを紹介してくれた。わたしは「ビールを飲んだばかりだからお酒のにおいが気にならないといいんですが」と言いながらだんなさんと握手した。

その次のレッスンで「先生がパブに行くと知ってから，夫もアレクサンダー・テクニークのレッスンに来ようと思ってるみたい」と彼女が教えてくれて，実際に彼は来た。

だから言いたいのは「スピリチュアリティ」だからといってこの手のもの

すべて遠ざけないでほしいということ。ここでわたしたちが話しているのはパブに行く人のためのマインドフルネスなんだから。スピリチュアルでない人のための禅と言ってもよい。キャンドルもいらないし仏陀も知らなくていい，弓道もやらないでいい。瞑想もいらない。

今ここに生きること

エンドゲイニングに話を戻そう。それには三つの現れ方がある。第一に，本当は自分がいない**どこか**にいようとすること。第二に，本当は自分がいない「**いつか**」にいようとすること。そして第三に，本当は自分ではない**だれか**になろうとすること。偉く見せようと演技すること，敬意をはらうよう求めること，速く動く代わりにただ忙しくすること，車の運転中にまわりを見ないこと，異性の関心をひくためにかっこつけること，すべてエンドゲイニングの例だ。

さらに同僚が二人，わたしに例をあげてくれた。

「自分の見た目や，彼氏にどう思われてるかが気になってデートを楽しめなかったり，素のままでいられないこと」

「３週間後の本番が心配でリハーサルを楽しめないこと」

初めてレッスンに来る人はほとんどがなんらかのエンドゲイニングにとらわれている。わたしが彼らに示すのは，いかにして自分という**人物**でいるか，いかにして今いる**場所**にいるか，いかにして今という**時**にいるかだ。言いかえればどうやって素のままの自分自身でいられるか，どうやって今ここに生きていられるかを示す。するとすべてが自由になる。目が輝くようになり，呼吸が開き，軽やかで聡明に感じ始める。動きも思考も無理がなくなってくる。

わたしたちはわざわざ自分でものごとを難しくしている。動くのが大変だと思うから動きに大変さを加える。考えたり決断を下したりするのにがんばる必要があると思っている。話を聞いて理解したり，ボールを取ったりするのに顔の筋肉を使う必要があると思い込んでいる。サルトルは「難しい」から読みながら顔をしかめる。この本の内容はとてもシンプルだけど，読みながら顔をしかめて人もいるかもしれない！　すべては本当に楽にやることができるのだ。まるで心も体も存在しないと思うくらい楽に。心と体は一つであり，あなたは明晰で透きとおるように感じるだろう。

実存主義に同意できないことが二つある。サルトルは，わたしたちは決して今という瞬間にいることはできないと言った。彼によれば，わたしたちの意識は常に過去から未来へ飛び越えるものだからだ。彼がそんなふうに感じるのは，カフェでコーヒーを飲み過ぎたせいじゃないかとわたしは思っている。アレクサンダー・テクニークで得られる今ここの豊かな恩恵を，彼は明らかに体験したことがないようだ。

ハイデッガーも，わたしたちは決して素のままの自分自身でいることはできないと言った。彼によれば，わたしたちには常に自意識があるからだ。彼もまた身心脱落という禅体験をしたことがないのだろう。

それにもかかわらず，アレクサンダー・テクニークは実存主義と大きな共通点がある。それはわたしたちの時代における禅の秘訣であり，ストア派が探し求めているものとも同じだ。それは**無為**（作為的に手を加えないこと）に至るためのシンプルな方法でもある。心と体の間にある矛盾に答えをもたらすものでもある。

これらすべて，どうしてそう言えるのか？　アレクサンダー・テクニークとは素のままの自分自身になり，今ここに生きるためのものだからだ。

アレクサンダー・テクニークと幸せ探し

アレクサンダー・テクニークはまた幸せ探しへの答えでもある。どうして？　理由はいくつもある。

第２章で，小さな子どもたちは「軽さもバランスも活気もしなやかさもふわっとして楽な感じも動きもエネルギーも柔軟性も流動性も優美さも」備えていると書いた。それらは大人が失いがちなものだ。子どもたちは幸せになる方法を知っている。反面，わたしたち大人が「天の恩恵を失って堕落（fall from grace)」することとは，退屈や不幸を受け入れるのにますます慣れていくということだ。

3次元のマインドフルネスがもたらすのは「創造的な気分の高まり，上昇するエネルギーと信頼感，まっさらで子どものような自発性や遊び心」であるとハーディングは言う。それはまた，わたしたちが子ども時代に知っていた他のものも取り戻してくれる。自分を幸せにするものを見つける方法だ。

住宅ローンを返すとか，たまに趣味のバンジージャンプに行くとか，隣人よりいい車に乗るとか，毎年何回か豪華な旅行に行くとかのために十分なお金を稼げるからといって，好きでもない仕事を毎日しているとしたら，そこに幸せはない。あとで幸せになれるよう十分な貯金をしようとがんばって働くところに幸せがある，というものでもない。

未来は幻想だ。人は本当に，今の自分を幸せにするよう選び取ることができる。嫌いな仕事ならそれをやめる選択をする自由がある。自分の気持ちを下げるような人間関係を終わらせる選択をする自由がある。大好きなことをするのに時間を使う選択をする自由がある。人はみな自分の幸せに責任がある。アレクサンダー・テクニークはそのためのミーンズウェアバイを与えてくれる。

選択の自由があると，自分の幸せを選ぶのが簡単になる。自分が一緒にいたい人たちとともにいることを選ぶのも簡単になる。そして他人の関心を満足させようと振る舞うのをやめることを選べる。他人の価値基準にしたがって自分自身を判断するのをやめることも選べる。

まだ30代で腎臓専門医になった人に会ったことがある。なんてすごいんだ！　とわたしは思った。しかし彼は医科大の同期がすでに教授になっていることから自分をみじめに感じていた。他者のための存在の典型だ！

頭で考えることで幸せになることもない。これもまた幻想だ。あるクライアントになぜ「考え込んで」いるのか聞いてみた。「数年前に味わった幸せをどうしたら取り戻せるか思案し続けているのです」と彼は答えた。それをしているときの幸せを10点満点で何点か言ってもらうと「4点」だった。マインドフルになっているときはどうか言ってもらうと「6点」だった。頭の中に閉じこもるのをやめると空の青さや桜の花や，夕暮れや鳥の声に気づく。だから犬のうんこを踏むことはない。

そして最後に「幸せはすでにもっているものを欲しがること」という言葉を聞いたことがあるだろうか？　今というこの瞬間を十分に生きているのなら，あなたは自分が欲しいものとともにいる。うそだと思うなら，アレクサンダー・テクニークのレッスンを受けにわたしのところに来てほしい。わたしは自分の知る限り一番幸せな人間だ。そしてわたしの親友の一人もアレクサンダー・テクニークの先生をしていて，彼女も自分は世界で一番幸せな人間だと思っている。

第10章

変化を受け入れること

「師傅領進門，修行在個人」（師は入口まで導いてくれるが，修行は自ら行うものである）

禅の諺

F. M. アレクサンダーは現代の禅の極意を発見した。それは素のままの自分自身でいる方法，今ここに生きる方法を教えてくれる。そしてわたしたちがかかえるあらゆる問題への答えをくれる。応急処置とは違って時間はかかるが着実な方法だ。そして本当の永続的な変化をもたらす。

前章で選択について話し続けた。この本全体を通じて「シンプル」とか「もっとシンプルな」という言葉をくり返し使い続けている。アレクサンダー的な生き方をすると体を起こすことから幸せになることまで，すべてがシンプルになる。人生がずっと楽になる。しかしだからといって会得するのがたやすいとは言えない。なぜならそこには**変化**がからむからだ。

アレクサンダー・テクニークは人類進化の次の段階ではない。ただし多くの人がこの原理を使えば本当に大きな変化を生む可能性はあるだろう。世界中がいい姿勢を必要としているわけではない。わたしが言ったように，悪い姿勢とは先進国特有の問題だ。世界全体で必要とされているのは抑制ができる人，なにかする前に間をとって再考できる人だ。自由な発想で変化できる人，自分の意見に固執しない人，反射的にこたえるより状況に応じて適切に対応できる人，自分自身の幸せに責任をもっていて，自分自身の生きる「環境を御する」ことのできる人だ。

アレクサンダー・テクニークはわたしたちを解放し変化をうながしてくれる。非常にまれにだが，レッスンを受けた早い段階で真に大きな変化が起こることもある。たとえば初めてアレクサンダー・テクニークのレッスンを受けたあと，テムズ川に向かって結婚指輪を放り投げた人もいる。またヨーロッパのある町で初心者向けワークショップをした翌日に電話が鳴って，こんな報告をもらったこともある。その人は8年前に父親を亡くしていたのだが，ワークショップが終わるや否や家に帰り，亡き父の衣装棚から遺品の服を全部出してチャリティショップに寄付したそうだ。

まあこういうのは例外だろう。たいていの場合，変化はゆっくりとしたものだから。アレクサンダーの著作『自己の使い方』1939年版の序文で，「即効性があり奇跡的に見えるような変化はなかった」[38]とデューイは書いている。

なぜ変化は難しいのか？

ほとんどの人が変わりたいと願いながら，それが難しいと感じている。ある友人の新年の抱負は体重を減らすことだったが，それは去年も一昨年も同じだった。新年の抱負すら実現できないなら，変わることになんの期待ができるだろうか？　ちなみにだが，アレクサンダー・テクニークの先生に肥満の人はめったにいない。

ものごとを行うやり方を変えるのは，なにが難しいのだろう？　変えるのはとても簡単なことなのに。50年間，自分なりの方法で靴ひもを結んでいたが，テッドトーク（TED talks*）を見ていたら別にもっといい方法があった。古い慣れた方法と同じくらい自動的に新しい方法でできるようになるまでに10日かかった。だからたぶん10日で人は変われる。スマホの持ち方を変えるのも，パソコンを見て顔をしかめるのをやめるのも，腰痛にならないよう

訳注* TED（Technology Entertainment Design）が主催する講演動画の無料配信サービス。さまざまな分野の動画を配信しており，価値のあるアイディアを広めることを，その活動の目的としている。

静かな立ち方にするのも，膝にダメージを与えないよう脚を過伸展してロックするのをやめるのも。

変わるのにはたいていもっと時間がかかる。その理由の一つは，自分が無自覚にやっているとやめることができないからだ。クライアントが手帳をめくるのに指をなめていたら，わたしは常に「宿題」を出すようにしている。翌週会うまで，指をなめるたび毎回そのことに気づいているようにと。すると一人の例外もなく「えっ，わたし指なめてますか？」と言う。自分が知らずにやっていること（たとえばスマホに向かって体をかがめるとか）を，どうやってやめられるだろうか？

変わりたければ自動操縦状態をやめて，自分がなにをしているか意識的になる必要がある。だから指をなめるクライアントに出す宿題は，指をなめるのを**やめる**ことではなく，指をなめていることに**気づく**ことなのだ。習慣は無意識であり，変えるための第一歩はそれに気づくことだ。つめをかむ癖のある人はその癖があることは知っている。その癖をやめられないのは，つめをかんでいる**まさにその最中に**，それをやっていることに気づいていないからだ。彼らは「考え込んで」いて無意識になったときにだけつめをかむ。人は意識的であるときにだけ，習慣をやめることやものごとの違うやり方を選ぶことができる。

変わりたくない人もいる。痛みがなくて，見た目が変てこなことを気にしなければ，スマホっ首もやり方を変えようと思わないだろう。以前働いていたところで受付の新入りが指をなめてから紙をあつかう癖があった。

そのことを指摘すると「わたし，指なめてますか⁉」と言うので，事務用のスポンジをあげた。そのスポンジは１週間くらい使われて，そのうちにまた指をなめるのに戻ってしまった。どうして？　指をなめる方が心の底から気に入っていたからではあるまい。新しい選択をするより自動操縦でいた方が楽なのだ。

他の理由で変化に反対する人もいる。クライアントの一人は腰痛もちの歯科医だった。無駄な力を使わないやり方を教えてあげたところ，彼は数年来で初めて痛みがなくなったと言った。でも「自分は変わるには歳をとりすぎている」と言って続けなかった。彼にとっては，ものごとの違うやり方を学ぶより痛いままでいる方がいいのだろう。

変化が難しいもう一つの理由は，意識的でありたくない，自分自身に責任をもちたくないということがある。だれかに直してもらいたがる人たちがそれだ。16年間「とても腕利きのオステオパス」に通っていた男性は，痛みを「直して」もらっては職場に戻り，そしてまた痛みがぶり返していた。もし本気で望んでいたら，今ごろは問題を起こしていた原因を確実に解決できていたのに。

以前教えていたある女性は，お腹と胸の重さを散らすために絶えず背を反らせていて，その結果腰を痛めていた。バランスのとれた立ち方を教えたら痛みは去り，彼女は動きが楽になったと言ってくれた。なのにボディワーカーのところで痛みの原因は脚の長さが左右で違うせいだと言われて，アレクサンダー・テクニークのやり方で立ったり動いたりすることを学ぶ代わりに，施術で直してもらうことに決めてしまった。どうしてか？　問題の責任を自分でとるよりも，なにか自分のコントロールのおよばないことのせいにする方が楽だからだ。

もし彼女が自分自身の責任をとって，痛みを起こす原因となることをやめていたら，こう気づいていただろう。もっと困難な選択をともなうような他の課題に対しても，自分は責任をもって変えることができると。わたしの印象では，もし彼女が意識的になっていたら仕事が嫌いなことに気がつき，転職していただろうと思う。そして夫のことについても好きではないとはっきり自覚して，お互いの関係を修正できたかも，と思うのだ。

自分の行動を変えるには，さらにまだ課題がある。今までやってきたことは正しく感じるのに対して，新しいやり方でやるとなじまないとか「間違っている」と感じるのだ。間違っていると感じることを選択するより，昔からなじんだやり方をする方がはるかに簡単だ。「自己の使い方において，既知から未知へ飛び越えるというこの体験は，自分の反応をコントロールして根本的な変化を起こすために不可欠だ」[39]とアレクサンダーも言っている。

猫背の医学生が無駄な力みなく体を起こして座ろうとしたら，慣れ親しんだ座り方をやめて，新しくて間違ってると感じることをやらなければならない。その様子を写真で撮ってみると，普段の座り方を正しいと感じ，新しい座り方を不慣れに感じることがわかると思う。エクササイズで首や腰の痛みが減らないときの理由がこれだ。ものごとのやり方によって首の痛みが引き起こされているとしたら，エクササイズもあなたが他のあらゆることを行うのと同じやり方でやるだろう。そして下手をすると問題はさらに悪化するのだ。

未知を受け入れること

変化とは，わたしたちが未知なものを受け入れたときにだけ起こる。アレクサンダー・テクニークは人が今までしてきたどれとも異なるにもかかわらず，残念なことに人はすでに知っていることを基準にしてそれを理解しようとする。

「目を閉じてヨガの呼吸法をやる方がうまくいく」と言う人がいた。いやそうじゃない。「コア筋を使わなきゃいけない。正しくできるようになるには何年もかかる。あなたが言ってることは近代科学に対する反論だ」と言う人もいた。コア筋のことなんか言ってない！

どちらも２度目のレッスンには来なかった。理学療法士にはこう言われた。「あり得ない。指圧のツボかなにか押したに違いないわ」。また他のボディワーカーにはこう言われた。「確かに楽だね。でも**正しく**はないな。背中を反らせて体重がかかとの上の乗るようにしなければならないし，胸を持ち上げて首を後ろに引かなければならない。そうすれば**正しく**なるよ」。アホらしい！　バートランド・ラッセル風に言えば，愚か者か狂信者だ。

一番教えにくいのは自分に自信がある人だ。そういう人はすべての答えをすでに知っていると思い込んでいる。あるいは自分の方が下に見られたくなくて，わたしの方がよく知っていることがあっても，そのことを絶対に認めない。人は今まで正しいと信じてきたことを手放さないと変わらないのだ。

もしも今までやってきたことがうまくいっているなら，アレクサンダー・テクニークのレッスンには来ない。アレクサンダー・テクニークのレッスンに来たということはつまり，今までやってきたことがうまくいっていないということなのに！

本当に変わる必要のあるもの

多くの人は変わりたいと思っている。その証拠に目抜き通りの本屋をのぞけばたいてい巨大な「自己啓発」コーナーがある。自己啓発本のなにが問題かというと，変わるために**なにをするか**を教える一方（その瞬間に生きるとかチョコレートを減らそうとか），**どのようにそれをするか**は教えないことだ。

わたしたちは**ハウ**（どのように）を知る必要があり，また変える必要がある。アレクサンダーはまるまる1章使ってゴルファーの話を書いている。目でボールを見続けるよう延々言われているのにそれができない人の話だ。目でボールを見続けるのは正しい「エンド」だが，それを言うだけでは**どうやって**それを達成するかは教えていない。前にも書いたとおり，わたしたちは自分で思っているほど自分自身をコントロールできていないのだ。

マイケル・ゲルブとトニー・ブザンが書いた『ジャグリングで始める驚異の能力開発（Lessons from the Art of Juggling）』[40]というマネジメントの本がある。そのメッセージの基本はこうだ。三つのボールを手にとって人に教わらず自分だけでジャグリングしてみる。そして自分がどのようにやろうとするか観察する。というのもあなたがすることすべてに，そのときどのようにジャグリングしているかが反映されるからだ。

わたしは世の中の人々を三つに分類してみた。**熟考タイプ**（thinker），**行動タイプ**（do-er），そして**先延ばしタイプ**（procrastinator）だ。ジャグリングを独学で学んだら，熟考タイプはこう言うだろう。「うーん，もう一度マニュアルを読もう。そしてオンラインのビデオを観よう」。行動タイプは「よし！　毎日3時間ずつ練習して金曜までにできるようにしよう」。先延ばしタイプなら「明日からやろう」。

『さとりをひらくと人生はシンプルで楽になる』（邦訳：徳間書店，2002年，エックハルト・トール著）という本を読んで，今ここに生きようと思ったとする。熟考タイプは今という瞬間の自分自身について考えようとするだろう。

行動タイプは我流で今ここに取り組もうとするだろう。先延ばしタイプはテレビをつける。熟考，行動，先延ばし，いずれも習慣であり「既知」なのだ。そういうことは自分では気がつかないほどに深く根を下ろしており，あまりにも自分になじんでいる。そして達成したいことを達成できないようにはばんでいるのだ。変えなければならないものがここにある。良いアレクサンダーの先生ならあなたがゾーンに入りやすいようにうながしてくれる。そこには熟考も行動も先延ばしもない。生き生きとした完全に意識的な状態にあれば新しい選択をすることが可能だ。

ガールフレンドとカフェにいるとき，とあるカップルがマインドフルネスと今ここに生きることについて話すのが耳に入った。**理屈**っぽかった。自分が説いていることを実戦していないのは明らかなのに，でも実践していると思い込んでいる，そう感じた。だからわたしはアレクサンダー・テクニークを「やる」ことに重点を置かないのだ。どうしたって自分がいつもやってるやり方でしかやろうとしないに決まってるから。

こうしたことは本から学ぶことはできない。一つには変える必要があるのは学ぶやり方そのものであるという理由からだ。「進歩主義教育の父」と言われるデューイもこのことを知っていた。「教育は人間の活動すべてにおいて有益であるが，アレクサンダー・テクニークは教育それ自体に対して有益である」[41]とまで言っている。

自分らしくいることやその瞬間に生きることなど，わたしがレッスンで教えているのとまったく同じことが書かれた本を読んだ。アラン・ワッツの『不安の知恵（The Wisdom of Insecurity）』，ティモシー・ガルウェイの『インナーゲーム』（邦訳：日刊スポーツ出版社，1976年）そしてすでに言及した『頭がないことについて（On Having No Head）』[42]。問題はこうした本はどれもアイデアをどのように実践に移すかについては触れていないことだ。ベトナムの仏僧ティク・ナット・ハンが唱えた「歩きなさい。あたかも足の裏で大地に口づけするかのように」[43]という言葉は素晴らしい。でもどのようにとっかかりを見つけたらいいのか？　「目標（end）」としてそういうふうに歩くことを目指すのは崇高な話だが，しかしどのようにしてそのエンドを「得る

(gaining)」ことができるのか？

今ここに生きることがあなたのゴールだとしたら，どうやってそれをなしとげるのか？

アレクサンダー・テクニークは「ミーンズウェアバイ」を与えてくれる。ミーンズウェアバイとは結果に至る手段のことであり，これによりあらゆる自己啓発本が提唱することを得ることができる。真の意味での変化がずっと続いていくための手段（ミーンズウェアバイ）だ。ダライ・ラマは人生の目的を幸福だと言った。わたしたちにはそれを達成するためのミーンズウェアバイがある。

ゆっくりと意識的に：変化のプロセス

興味深いことに，アレクサンダー・テクニークの教師養成コースを始めてから１年も経たないうちに，パートナーと別れたり転職したりする人が出てきた。アレクサンダー・テクニークがもたらす変化は，教師養成コースの方が（単発の個人レッスンやワークショップより）はっきりと表れる。なぜならレッスンの内容が濃くて変化が早く起こるからだ。複雑な人間でいる必要がないことに生徒たちは気づいて変わっていく。時としてパートナーはその変化を嫌う。あるいは生徒は以前より幸福感が増すが，パートナーは以前のままということもある。しかしこの点については，パートナーが二人とも同時にアレクサンダー・テクニークを学んだ場合になにが起こるのか，体験者の話を聞いてほしい。

夫とわたしはともにピーターのレッスンをしばらく前から受けています。これから話すのは家庭内のよくあるいざこざを，わたしたちがいかに回避したかというお話です。

ある晩帰宅したら夫が家の鍵を失くしたと言いました。彼は思いつくところ全部もう探していて，歩いたところを逆にたどってみたけれども見つからなかったのです。

顔を見た瞬間，わたしの中にいつもの習慣的な反応が起こるのがわかりました。非難の気持ち，防犯上の懸念，友人宅の夕食に招かれていて，もうすぐ出かけるのにといういら立ち……わたしはその反応を抑制しました。
同時に，彼は彼でいつもの習慣的反応を感じとっていました。失くし物をした自分自身への怒り，自分が完璧ではないことに対する罪悪感，そして彼がそう思っていると判断したわたしへのいら立ち……彼もその反応を抑制しました。
そしてわたしは，そうなのねえとただ返事することができました。鍵修理を呼ばなくちゃね。
そうなんだよ。僕が呼ぶよ。
彼は鍵修理屋を呼び，夕食会は15分遅れただけですみました（その15分には，お互いにそしてわたしたち自身に対してうれしい気持ちがわいてキスしていた時間も含まれます）……

ちなみに彼らは姿勢も良くなっていた！
アレクサンダー・テクニークの個人レッスンでは変化はゆっくりと起こる。わたしが使う方法の一つはクライアントとキャッチボールすることだ。初めのうち，クライアントは**正しく**やろうとする。ボールを落とすのが怖いのだ。こちらに投げるとき顔をしかめて前かがみになる。そこで不必要な力を使わずにやるアイデアをやさしく紹介する。ほとんどの人はすぐに無駄な力みが抜けて，とても正確に投げたり受けたりできることに気づく。わたしの目を見ながらキャッチボールするようになり，もはやボールにとらわれることはなくなる。
何年間も「ボールをちゃんと見続けて」と教えられた人がそんなふうにできるのだから，スマホのメッセージも同じようにシンプルにチェックできるはずだ。そしたらスマホを使うとき不必要な力みのない方法をいつでも選べるようになる。次にはケトルに水を入れるときも同じようにできる。そしてさらにドアを開けるときも毎回同じようにできる。そしたらまた……という具合いに，自分の行動すべてのやり方を，ゆっくりと意識的にマインドフルなものに変えることができる。

しかしそこに，最初のうちはだれもついていけない指示が加わる。ボールを受けられず落としたとしても無視することだ。こう言われたらだれもが「うん」とうなずくが，実際にボールを落とすと，やっちまったというジェスチャーを迷いなく見せてくれる。ボールをひろい上げようとしながら自分の下手さかげんに顔をしかめてみせたり，あやまったりする。自分が犯す間違いの中で一番どうでもいい失敗なのに，これだけ恥ずかしさや罪悪感を感じるとはいったいどういうことだろう！

ボールを落とすたびに不機嫌になる人に教えていたことがある。その人は運動が得意だった。ある日わたしが，速い車を買う人のことを理解できないと言ったら，彼はそのことにもイラっとした。「そういう車が好きな人もいますよ」と彼は言った。

「アレクサンダー・テクニークのレッスンでボールを落としたときに感情的な反応を手放すことができなければ，単に自分と意見の違う人がいるというだけで起こる感情的な反応をどうやって止められるかな？」とわたしは言った。

ゆっくりとおだやかに二つのことが起こる。ボールを落とさないようにと体を固めるのをやめると，かえってボールを落とさなくなる。そしてボールを落としたときもそれが問題ではなくなる。すると現実の世界での「もっと大事な」ことにこれを応用できることが気づく。過剰に反応することなく，ものごとを楽に心地よくやれるようになるのだ。そして軽やかになり幸福感も上がる。ミスをすることも減り（なぜならものごとを意識的にやるようになるから），なにかするときに自分をすり減らすことも少なくなる。

また自分をいらいらさせたり痛みを生じたりするようなことをしない，という選択ができるようになる。そして仮に古いやり方でやってしまったとしても，すぐにアレクサンダー的な「バランス（poise）」を回復できるようになる。

まずスマホとの付き合い方から始まり，それからたとえば上司との付き合い方を変えるといったことについて意識的な選択をしてみる。ボールを落としたときの新しい選択のしかたを学んでから，同僚との付き合い方に応用する。靴ひもを結ぶ動作について意識的な選択をして，それから新しい座り方を選択する。あるいはチョコケーキをもうひとくち食べるかどうか決めるときに。他の人が座る前に席を取ろうと列車にかけこむときに。テレビの前に座り続けるか，ピアノの練習や読書，散歩に行くかどうか迷ったときに。ゆっくりと意識的に新しい選択をすること。たまたまガーディアン・マスタークラスという広告が目に入ったのだが，そこにはこう書いてあった。「君の可能性に手を伸ばそう：自動操縦を切り，ポジティブで有意義な変化を人生に起こすために」。ポジティブで有意義な変化はとてもシンプルだ！ただ意識的であり続けて選択をすればよい！

わたしのところに来るクライアントは，最初の数回のレッスンを経て，より軽く，背が高く，リラックスした感じになったと言う。そしてほとんどの人が腰や首の痛みが減少したと言う。こうした身体的な恩恵は姿勢の変化によるものなので理解しやすい。この段階はいわばアレクサンダー・テクニークの「黄帯」くらいのものだが，ここでやめる人もいる。レッスンに来た目的（痛みを減らすとか姿勢を良くすること）を達成したからだ。

ここから先には決して進まない人もいる。アレクサンダー・テクニークの中に「禅」的な面があることに気がつかないからだ。続けたとしても，ただ体を楽にするためだけに来続ける。学びのプロセスに自ら関与するというよりは，施術のようなものを期待するのだ。でもここに至るまでに，ほとんどの人は将来の変わる可能性と自由を予感して，もっと学ぶために来続ける。

次の段階で気がつくのは，動きを止めたときに膝を後ろに固めなくて大丈夫ということ。あるいはなにかを「しない」ことを選ぶこと。ベビーカーやショッピングカートを押すときに，慣れない感じがしたとしても，寄りかからないようにすること。退屈な会議でずっと意識的でいることによって，つめをかまないようにすること。スマホを見ようとして顔をしかめたり頭が前に下がったりするまさにその瞬間に，はっと気がついてやめてみること。あとから不機嫌にならないよう同僚と口論する前に気がついてやめること，など。

次の段階では，考えなくても膝を後ろに固めなくなっていることに気づく。机に向かうときに意図的にそれを選ばなくてもすっと浮かぶように体を起こしていて，しかももう間違ってる感じはない。目的志向ではなくなり，自分の意見に固執することもなくなる。ありのままでいながら以前より幸福感が増して居心地よく感じる。

するとまわりから言われるようになる。「腰が痛い痛いってこぼさなくなりましたよね？」「ミーティングでよく発言するようになりましたね」「うわっ，背が伸びたね！」

あるクライアントは奥さんが「傘で背中を小突いて『まっすぐ立ったらどうなの！』と言わなくなった」と言う。

時が経つにつれ習慣が消えていたり，習慣のままにやらないよう自分が選んでいることに気がつく。いつもあわててしまうとかどうしても遅刻してしまうなど長年にわたる根深い習慣もある。いつもびくびくしてしまうとかすぐあやまってしまうなど，友人関係や人間関係における習慣もある。

ダライ・ラマはわたしたちが毎日カルマを作り直していると言う。アレクサンダー・テクニークの生徒は，不幸な子ども時代に今の自分が影響されないよう選ぶことができると徐々に気づいていく。どのような体形の体を受け継いだとしても，ありのままの自分で居心地よくいられるようになる。そして「遺伝の一種」だと思ってあきらめていたことを，その思い込みから外すようになる。「わたしは踊れない」「偉く見えるように演じなければならない」「とてもではないがチームみんなの前で話すことなんてできない」「リーダーの器ではない」など。

幸福感が増すにつれて「機嫌が悪いのは生まれつきだと思ってた」という生徒もいた。

ラジオから，アルコール依存症から立ち直ったカップルへのインタビューが流れていた。インタビュアーは意志の力について尋ねていたが，依存症を絶つのに必要なのは意志ではなく，自分自身に正直であることだと二人は答えていた。変化は自分自身に正直であることを必要とすることが多い。しかしわたしたちは，本当の問題から目をそらすための理由をいくらでも思いつく。そしてわたしたちの選択の多くが恐れや変化に対する恐怖からなされてしまう。「この気が滅入るほどにつまらない仕事をやめたくない。だって実際そんなに悪い気がしないから」「こんな退屈な相手と暮らすのは幸せとは言えないけど，もっと不幸になるかもしれないからこのままでもいい」

ティク・ナット・ハンは「人が苦しみを手放すのは難しい。未知への恐怖より，すでに知っている苦しみの中にいることを好むから」と言った。

ソローの引用を覚えているだろうか。「大多数の人は静かな絶望の人生を送っている」。彼はこう続けている。「絶望しか見えないと人はあきらめてしまうものだ」。幸せを感じられない知人がいて，友達にアドバイスされていた。「期待しない方がいい。そもそも結婚はつまらないものだし，仕事だってくだらないものだから」

これでは悲しすぎる！　幸せがいかに手に入れられるものか理解したら，もっと別の決断をするだろうに。臨床心理士のパメラ・スティーヴンソンによれば，わたしたちは幸福を痛みのない状態と定義しているが，本当はもっと良い定義にできる。

わたしが初めてアレクサンダー・テクニークのレッスンを受けたのは1988年だった。そして教師資格を得たのは1993年。わたしにとってアレクサンダー・テクニークの恩恵とは育ち続けるものだった。50代後半になって，ますますユーモアや創造性，信頼が自分の中にあることに気づいた。わたしは「同世代よりも若く」なった。自分の時間をうまく使い人生は豊かさで満たされた。お金持ちになったという意味ではない。やりたいこと，笑顔，ともにいたい人々で満たされているということだ。

毎朝，自分の人生を生きている幸福感で目覚める。体には不要な力みがまったくなく，自分が考えていることすら意識できないほどだ。禅師が言うように明晰で透きとおるように感じる。体も心も脱落したように。

アレクサンダー・テクニークの先生を選ぶには

あなたが人生を変えようと思うとき，それを助けてくれる人は慎重に選ぶ必要がある。教師養成のトレーニングを受けていなくても，だれでもアレクサンダー教師を名乗ることができる。その上すべての教師養成校が素晴らしいわけでもない。おかしなことにアレクサンダー・テクニーク教師養成通信講座がオンラインで購入できるくらいだ。あなたの先生が，実際にリアルのレッスンで直接トレーニングを受けて資格を得たのかどうか知っておこう。

アレクサンダー・テクニークを教えるには，それを**体得**（embodied）していなければならないし，それを生活と**一体化**（incorporated）していなければならない。体得といい一体化といい，おもしろい言い方ではないだろうか⁉ 先生になるには3年以上かけて，そのことを「ハンズオン」で教えることを学ばなければならない。インターネットの通信講座や講義聴講や，解剖学を何年も勉強するとか，アレクサンダーの著作を読むだけでは体得するのは無理だ。アレクサンダー自身が「自分が教えることを自ら生きて体験したのでなければ，他人に教えるべきではない」と言っている。

道場にいる間は注意をはらっていて精力的な武道の指導者でも，稽古が終わるとスイッチオフになるさまを見てきた。他人の人生を整理する仕事をしているカウンセラーが往々にして自分の人生は整理できていないのも知っている。心理セラピストとしてトレーニングを受けるのと同時にプロザック（抗うつ薬の一つ）を常用している人もいた。実践なく理論で学べることもたくさんあるが，アレクサンダー・テクニークに関してはそうはいかないのだ。わたしの知る限り，他のどれとも違って，アレクサンダー・テクニークを教えるにはそれを使って生きていなければならない。

アレクサンダーはこのテクニークを人類進化の次の段階だと考えていた。しかしほとんどのアレクサンダー・テクニークの先生のウェブサイトを見ると，それは姿勢を変えるための小難しい方法になっていたり，筋緊張をゆるめるものになっていたりする。アレクサンダー・テクニークが体や姿勢に与える恩恵は「黄帯」レベルだ。しかしもっと大きく人生を変えるような恩恵はグーグル検索ではほとんど調べることができない。アメリカのアレクサンダー・テクニーク教師団体の一つがウェブサイトに載せているアレクサンダー・テクニークの説明もこう書かれている。

セルフケアのための確かなアプローチ，アレクサンダー・テクニークは習慣的パターンからいかにして脱するかを教えます。習慣的パターンこそがわたしたちのあらゆる活動において不必要な緊張を起こしています。誤った姿勢習慣の変え方を教育することにより，動きや姿勢，パフォーマンス，注意力，それに慢性的なこわばりや緊張，ストレスの改善を可能にします。

アレクサンダー・テクニーク関係ではもっともよく知られていて評価の高いウェブサイトにもこのように書いてある。

アレクサンダー・テクニークは気分を良くし，もっとリラックスした心地よい動きをするための方法である……自然が意図したとおりに。

これらはアレクサンダー・テクニークのワークの説明としては不十分である。体や姿勢や動きについて多くが説明される一方，思考や意識や選択については嘆かわしいほど述べられていない。アレクサンダー・テクニークの恩恵は，誤った姿勢習慣の変え方やもっとリラックスした心地よい動きよりもはるかに大きい！

ためしに地元の先生のレッスンを何人か受けてみてほしい。そしてその中でも，一緒にいて自分がくつろいでいられる人や，あなたの人生に応用できるようにアレクサンダーのメッセージを伝えてくれる人を選ぶことだ。先生の教えることがどうして人類進化の次の段階と結びつくのか，あるいはあなたの人生をとりまく状況に対して負けないで，打ち克ち，舵をとるためにどのように役立つのか，聞いてみてもいいだろう。

先生によっては正しい立ち方・座り方を教えるかもしれない。または首を固めることなく動くようにと教えるかもしれない。あるいはアラインメントをそろえたり，筋緊張をゆるめるかもしれない。そしてあなたが欲しいのもそういうことかもしれない。しかし先生によっては，軽く，バランスがとれて，生き生きして，しなやかで，ふわっとして，がんばる必要がなく，動けて，エネルギーがあって，柔軟で，流動的で，優美だった，6歳のころのあなたを取り戻す方法を示してくれる。そういう先生ならあなたを今ここに招き入れ，意識的でい続けながら新しい選択をする方法を教えてくれる。そんな先生にこそめぐり会いたい。

最後に一言。先生が幸せそうかどうかも大事なポイントだ。なぜならアレクサンダー・テクニークは幸福への秘訣だから。

F. M. アレクサンダーについて

フレデリック・マサイアス・アレクサンダーは1869年にタスマニアで生まれた。若くして俳優の修養を積み，シェイクスピア劇を演じ始めた。高い評判を築きつつあったが，やがて声の問題にキャリアをおびやかされることになる。公演の最中にだんだんと声がかれるようになり，しまいにはほとんど聞こえなくなってしまったのだ。

医者は声の使い過ぎだと言った。そこで彼は公演の前はできるだけ話さないようにした。さらに重要な演目では2週間前からほとんど話さないようにした。それでも舞台に上がると声が出なくなった。このことから原因は声の使い過ぎではなく，演じている最中になにかしているためであると明らかになった。

たくさんの自己観察のあと，演技で声を出そうとするときに首を固めて音を立てて息を吸うやり方が「喉頭の押し潰し」を起こしており，そのことが声の問題の原因であることを発見した。

それをやめるのは簡単ではなかった。正しいと感じられることをやらずに，違和感のあることを始められるよう学ばなければならなかった。彼は習慣に頼るのをやめて発声法を意識的に選ぶ方法をだんだんと発展させた。すると喉と声の問題が解消していった。これによって声と動き方に大きな違いが表れて，他の役者たちがアドバイスを求めて来るようになった。彼は演劇を引退し，自分のメソードを教えることを本業にし始めた。

1904年にロンドンに移住し，やがてイギリスとアメリカの両方で教えるようになった。そして1955年にロンドンで亡くなった。

もっと知りたい方のために

アレクサンダー・テクニークとその歴史，そしてワークの背景についてもっとよく知りたい人のために以下の参考文献を紹介する。

Freedom to Change, Frank Pierce Jones, Mouritz, 1997.

またアレクサンダー・テクニーク以外の分野からも以下の本をお薦めする。

Ten Thoughts about Time, Bodil Jönsson, Robinson, 2005.

The Wisdom of Insecurity, Alan Watts, 4th edn, Rider, 1987.

Zen and the Art of Consciousness, Susan Blackmore, Oneworld, 2011.

The Inner Game of Tennis: The ultimate guide to the mental side of peak performance, W. Timothy Gallwey, Pan Macmillan, 2014.（邦訳：W. ティモシー ガルウェイ著，後藤新弥訳『インナーゲーム』日刊スポーツ新聞社）

How to Be an Existentialist: Or How to Get Real, Get a Grip and Stop Making Excuses, Gary Cox, Continuum International Publishing Group, 2011.

アレクサンダー・テクニーク教師のリストは以下のサイトから探すことができる。

alexandertechniqueinternational.com

alexandertechnique.co.uk

日本でレッスンを受けるには

本書の著者ピーターの教室はロンドンにあるが，オンラインでもレッスンを受けつけている。こちらのホームページから連絡するとよい。ただし英語でのやりとりが必須である。

https://www.alexandertech.co.uk/online-lessons

ピーターは2018年に来日しレッスンやワークショップをおこなった。その際通訳をつとめた二人の教室を紹介する。本書の内容を踏まえたかたちでアレクサンダー・テクニークを学べるだろう。

また，ピーター本人のオンライン・レッスンを受けたいが英語が不得意でちゅうちょしているならこの二人に通訳を依頼するとよい。

竹内 いすゞ　http://suzueigo.com/
楠 道子　https://atyoga.jp/

それから日本にアレクサンダー・テクニークを紹介した第一人者として片桐ユズルの教室も忘れてはならない。

片桐ユズル　yuzuru@yuzurukatagiri.net

その他，規模の大きな教室として以下のようなところがある。

ボディ・チャンス　https://www.alexandertechnique.co.jp/
アレクサンダー・アライアンス・ジャパン　https://alexander-tech.jp/
セルフ・クエスト・ラボ　https://self-quest-lab.com/
アレクサンダーテクニークスタジオ東京　https://www.alexander-tokyo.com/

アマック・コーポレーション　http://www.amac.co.jp/index.html
アレクサンダー・テクニークジャパン　https://www.atjapan.jp/basic.html

また個人の教師で構成される全国規模の協会がいくつかある。これら協会のホームページからも最寄りの教師やレッスン，ワークショップ情報を入手することができる。

日本アレクサンダー・テクニーク協会　https://www.alextech.net/
（一社）アレクサンダーテクニーク教師会　https://atkj.jp/

文 献

[1] *Freedom to Change*, not Freedom to Change How You Sit and Stand, or Change your Posture to Reduce your Back Pain!

[2] Frank Pierce Jones (1976) *Body Awareness in Action*. Shocken Books, 7.

[3] F. M. Alexander (1946) *Man's Supreme Inheritance*. 3rd edition, Chaterson, 66.

[4] P. Little, et al. (2008) Randomised controlled trial of Alexander technique lessons, exercise, and massage (ATEAM) for chronic and recurrent back pain. *BMJ* 2008;337:a2656.

[5] Malcolm Balk and Andrew Shields (2000) *The Art of Running with the Alexander Technique*. Ashgrove Publishing, p. 97.（邦訳：マルコム・ボーク，アンドリュー・シールズ［2009］『ランニングを極める アレクサンダー・テクニークで走りの感性をみがく』春秋社）

[6] Laurens Van der Post (1988) *The Lost World of the Kalahari*. Chatto and Windus, p. 200.（邦訳：ローレンス・ヴァン・デル・ポスト［1993］『カラハリの失われた世界』筑摩書房）

[7] Henry David Thoreau (1966, originally published in 1854) *Walden*. chapter 1, p. 8.（邦訳：ヘンリー・デイヴィッド・ソロー［2016］『ウォールデン 森の生活』小学館）

[8] Heidi Grant Halvorson (2015) *No One Understands You and What to Do About It*. Harvard Business Review Press, p. 144 (Kindle edition).（ハイディ・グラント・ハルヴァーソン［2015］『だれもわかってくれない』早川書房）

[9] Heidi Grant Halvorson 前掲書 p. 829.（Kindle 版）

[10] Heidi Grant Halvorson 前掲書 p. 112.（Kindle 版）

[11] F. M. Alexander (1987) *Constructive Conscious Control of the Individual*. Victor Gollancz Ltd, p. 163.

[12] F. M. Alexander (1918) *Man's Supreme Inheritance*, E. P. Dutton & Company, p. 103.

[13] Gavin Francis (2015) *Adventures in Human Being*. Profile Books, p. 44.（ギャヴィン・フランシス［2018］『人体の冒険者たち』みすず書房）

[14] Glenna Batson and Sarah Barker, 24 Activities, Adaptation & Aging Feasibility of Group Delivery of the Alexander Technique on Balance in the Community-Dwelling Elderly: Preliminary Findings, Activities, *Adaptation & Ageing*.

[15] https://themindresearchfoundation.org または ellenlanger.com

[16] Fiona Robb (1999) *Not To Do*. Camon Press, p. 93.

[17] Frank Pierce Jones (1976) *Body Awareness in Action*. Shocken Books, p. 97.

[18] Frank Pierce Jones 前掲書 p. 97.

[19] バートランド・ラッセルの実際の言葉は以下のとおり。「問題の根本的な原因は，現代社会においては愚か者ほど自身満々で知性ある者ほど自信を持っていないことだ」。Bertrand Russell (May 10, 1933) *Mortals and Others*, The Triumph of Stupidity. Taylor & Francis e-Library (2009) p. 204

[20] *The Congress Papers.* STAT Books. 1999.
[21]「意識的な思考」と「自分の反応をコントロールする」ことについてはそれぞれ以下のアレクサンダーの著作がある。*Man's Supreme Inheritance.* Chaterson, p. 34., (1946) *The Universal Constant in Living,* Mouritz (2000) pp. 87-8.
[22] エピクテトスのこの発言について出典を見つけることができなかったのだが，仮に言っていなかったとしてもそう考えていたに違いない。
[23] ウィリアム・シェイクスピア『ハムレット』第二幕第二場
[24] Daniel Kahneman (2011) *Thinking Fast and Slow.* Penguin Books.（邦訳：ダニエル・カーネマン［2014］『ファスト&スロー（上・下）』早川書房，第35章を参照）
[25] F. M. Alexander (1946) *Man's Supreme Inheritance.* Chaterson, p. 11.
[26] Gary Cox (2011) *How to be an Existentialist.* Continuum International Publishing Group, p. 5.
[27] F. M. Alexander 前掲書 p. 45.
[28] David Zane Mairowitz (1986) *Reich For Beginners.* Writers and Readers Publishing Co-operative, p. 65.
[29] David Zane Mairowitz 前掲書 p. 31.
[30] J. C. Segen (2006) *Concise Dictionary of Modern Medicine.* McGraw-Hill.
[31] Thomas Flynn (2006) *Existentialism: A Very Short Introduction.* Oxford University Press, p. 73.
[32] Gary Cox (2011) *How to be an Existentialist.* Continuum International Publishing Group, pp. 74-5.
[33] Richard Feynman, *Cargo Cult Science: Some remarks on science, pseudoscience, and learning how to not fool yourself.*（カルフォルニア工科大学1974年卒業式スピーチより）
[34] Abigail Trafford (1993) *Crazy Time: Surviving Divorce and Building a New Life.* Trafford, p. 8.
[35] Nikolaas Tinbergen, *Ethology and Stress Diseases.*（1973年12月12日ノーベル賞受賞式典講演）
[36] https://thepsychologist.bps.org.uk/volume-28/november-2015/wu-wei-doing-less-and-wanting-more
[37] Alan Watts (2003) *Become Who You Are.* Shambala Publications, p. 17.
[38] F. M. Alexander (2004) *Use of the Self.* Orion Books, p. 10.
[39] F. M. Alexander (2000) *The Universal Constant in Living.* Mouritz, p. 157.
[40] Michael Gelb and Tony Buzan (1994) *Lessons from the Art of Juggling: How to Achieve Your Full Potential in Business, Learning, and Life.* Harmony Books.（マイケル・ゲルブ，トニー・ブザン［1995］『ジャグリングではじめる驚異の能力開発』翔泳社）
[41] F. M. Alexander (2004) *Use of the Self.* Orion Books, p. 12.
[42] Alan Watts (1951) *The Wisdom of Insecurity: A Message for an Age of Anxiety.* Timothy Gallwey (1974) *The Inner Game of Tennis.* Douglas Harding (1961) *On Having No Head: Zen and the Re-discovery of the Obvious.*
[43] Thich Nhat Hanh (1992) *Peace Is Every Step: The Path of Mindfulness in Everyday Life.* Bantam.（ティク・ナット・ハン［2011］『微笑みを生きる：〈気づき〉の瞑想と実践』春秋社）

ピーター・ノウブス・ワークショップ体験記

初めてのワークショップのあの日，今まさにクラスがはじまろうとするのに，ピーター先生は，おひとりでなんかを口ずさみながらタンゴを踊っておられました。この方の通訳なんて，つとまるんだろうか，という私の心配をよそに。そして，広がる青空を映すような瞳でニコニコしながらこちらをむき，「これが前準備さ」とおっしゃるのです。

＊＊＊

当時，さまざまな海外からのベテラン教師を招く，私の在籍するボディチャンスという名のアレクサンダー・テクニークの学校は，生徒の自主性を重んじるユニークな校風が評判をよび，そのころすでに日本で一番大きなアレクサンダーの学校に膨れ上がっていました。

コロナ以前，ジェレミー・チャンス校長は，生徒たちが広い視野で学べるようにと，あえてさまざまなアレクサンダーの捉え方をする先生を選りすぐり，招待し，私たちも今年はどんな先生が？…と期待に胸をふくらませて待つのが恒例でした。私もこの学校の通訳の一人としてたくさんの来日される先生方からまなぶ幸運に恵まれていました。

2018年に客員講師の一人として，ピーター先生を選んだのは，彼がアレクサンダーテクニークの中でも，心のありか（マインドフルネス・アンド・コンシャスネス）の大切さを教える教師だからだとジェレミーは言っていました。

＊＊＊

ドキドキ，ハラハラされっぱなしの私たち。あるピアニストには，背後のドアの外の景色の広大さが無限の宇宙空間に広がっていることをしっかりと意識すれば，目の前の譜面や指運びなどにおびやかされない，と言いながら窓のカーテンをざっとひらいてみせ，また，あるバイオリニストのレッスンでは，参加者たち何人かに教室内にボールをゆるやかに転がすように頼み，バイオリニストには，あちこちから転がってくるボールをよけて歩き回りながら演奏するよう指示しました。それは，バイオリニストが常に今という瞬間にフォーカスしながら動きのある演奏ができるようになるための，練習でした。

いずれの演奏も，その音の変化には目をみはるものがありました。

音楽を例にとってみましたが，このワークの参加後，「あれ？　いままでの肩こりが，全然感じられません」とか，「目がはっきりしたみたいです」という感想も，あちこちから聞こえてきました。私のそのときの写真も，友達に，「もっと若いときの写真にしかみえない」と言われるほど，くっきりとした美女に写っていました（すぐ元に戻ってしまいましたが，笑）。

何が私たちをそこまで変えてくれたのだろう？

そんな疑問をかかえたまま，「ビール，ビール」とはしゃぐ先生を連れてみんなで打ち上げにパブに行きました。

「それはね，新たに付け加えるんじゃなく，どれだけいらないものを捨てられるか，なんだよ」

「なるほど，なかなか巡り合うことのできない，見落としがちの視点ですね」

「アレクサンダー・テクニークの真髄ですよ。いかにして目前のストレスによって自分を縮こまらせないでいられるのか，いかにして過去や未来に囚われずに，この瞬間をたっぷりと生きることができるのかなんですよ。ビールのおかわり頼んでくれる？」

ピーター先生，私たちに，有意義な学びをありがとうございました。お約束どおり，きっとまた来日してくださいね。次の講座を，とても楽しみにしています。

2022年11月

訳者　竹内いすゞ

訳者あとがき

本書は英国のアレクサンダー・テクニーク教師ピーター・ノウブスによる *Mindfulness in 3D: Alexander Technique for the 21st Century* の全訳である。彼が本書を書いた目的の一つは，アレクサンダー・テクニークがもつ思考や心の領域にも目を向けてもらうことにある。

日本でもアレクサンダー・テクニーク教師といえば体の使い方やボディ・マッピングの専門家だと思われることが多い。一連の『○○ならだれでも知っておきたい「からだ」のこと』シリーズをはじめ，体の側面から書かれた関連書は数多い。アレクサンダー・テクニーク教師自らが体の使い方という言葉を広めてきたので，一般の方のこのような理解は仕方のないことでもある。

しかしアレクサンダー・テクニークが本来取り組んでいるのは「自己（self）」の使い方である。そこには心と体を分断してとらえる発想はない。いかなる心の状態や動きも筋肉の緊張や体の動きに反映されその逆もまた然り，ということを前提として踏まえる必要がある。アレクサンダー・テクニークを理解するのが難しいと言われるのは，このような背景があるからだ。

多くのアレクサンダー・テクニーク教師が共有している原則はおそらく次の二つである。

1. 体，心，自身を取り巻く環境すべてを観察の対象とすること
2. 人間は頭と脊椎の関係性が長く伸びて広がっていくときにもっともよく能力を発揮できる，との仮説に基づくこと

ではなんのためにこの二つをするかというと，現状を変えて自分の望むことに近づくためどうすればよいかに取り組むためである。

「なんのために」の部分がクライアントの要望によって異なり，また教師自身の

得意分野に応じて，アレクサンダー・テクニークのレッスンは体のことに寄せたものになったり，心理や考え方の癖に焦点を当てたものになったりする。そのため，あるときはスポーツ・トレーナーのように見え，またあるときは心理カウンセラーのように見えるのである。

もう一つアレクサンダー・テクニークをわかりにくくする要因として，教師によってレッスンの目的が異なることがある。

頭と脊椎の関係性を教えることをレッスンの目的にする教師もいれば，クライアントの望み実現を目的とする教師もいる。前者はアレクサンダー・テクニークの原則そのものを教える立場であり，後者はアレクサンダー・テクニークを役立てながらクライアントの望み実現に至る方法を模索する立場である。言いかえればアレクサンダー・テクニークを教えるのか，アレクサンダー・テクニークで教えるのか，言葉にすると一文字違うだけだがレッスンのやり方は大きく変わる。

望むことに今よりも近づくためには，なにかを変える必要がある。そして変えるためには変わることを選択する必要がある。実はピーターの言う「選択」とは，アレクサンダー・テクニークで教えるときに初めて生じるテーマである。

これをレッスンで上手に扱える教師は実はそんなにいない。なぜならクライアントがその思考の中でどのような選択をしたかは，言葉を介してやり取りするしかなく，教師とクライアント双方にそれなりの言語化能力が要求されるからだ。

頭と脊椎の関係性においてなにか気になる挙動が見えたとき，即座に「今なにを考えていましたか？」と問いかける教師が多いのは，そこに無意識の選択が潜んでいるからだ。無意識のことがらを言語化するのは難しく，最初はなにを聞かれているかもわからない。だが執拗に問うことで自分が今まで無意識に採っていた選択が明らかになる。そして別な選択をすることが可能になる。このことをアレクサンダーは意識的コントロールと呼んだ。実はこれこそがレッスンで一番重要なポイントなのだがその意図はわかりにくく，特に初めてのレッスンにおいてはほとんどの場合伝わらない。レッスンを受けたことがあっても，アレクサンダー・テクニークのもっとも価値ある部分が伝わらないままというのは残念なことである。本書を翻訳してより広く知ってもらおうと思ったのはそのためだ。

話をピーターに戻そう。彼のレッスンのエピソードは共訳者竹内いすゞさんによるその場の風薫るような体験記にゆずるとして，私からは特に印象に残ったある言葉を紹介したい。

ピーターはレッスンの場で「アラート（alert）」という言葉を使う。上述の原則1に関連して，普通の教師は「気づき（awareness）」とか「観察（observation）」という言葉を使うが，「警戒」のニュアンスを含む「アラート」という言葉を使う人はピーター以外には聞いたことがない。

世界中のアレクサンダー・テクニークの学校が安心安全な学びを提供するとの価値観に基づいて運営されており，これ自体は間違いではないと思う。

しかし現実の世界においては，やってくる刺激は自分にとって安心安全なものばかりとは限らない。学ぶ環境において安心安全を強調し過ぎると，危険や対立はないはずだという思い込みの上に観察や選択をすることになり，このようにして学んだアレクサンダー・テクニークは，実社会においてほとんど役に立たないだろう。

もちろんピーター自身はとても温和な人だし，そのレッスンは平和な雰囲気につつまれたものだ。しかし彼自身の目は現実の厳しさをいささかも否定せず，そのままに見ているように思う。いや，危険や対立とは，そう思う人がそのように判断したということであって，実際の現実は違うかもしれないわけで，そう考えると現実の厳しさという言葉もミスリーディングだ。実際の現実に厳しさも優しさもあるわけがない。ピーターのアレクサンダー・テクニークはそのようなリアリズムに貫かれていると言えよう。

また他人の思考や気持ちを直接変えることはできないし，自分を取り巻く周囲の環境についても変えられることと変えられないことがある。変えられるのは自分自身と自分の影響が及ぶ範囲の環境のみである。それゆえに，他者や周囲の環境との関係を作り直すために「自己」の使い方を建設的に選び直す，という哲学が生まれる。個人にできるのはそこまでであり，それでも変わることもあれば変わらないこともあるというのが現実だ。

変わらない現実，敵対的な（と自分が思うような）現実に直面することがあっても，自身の心にうずまく反応をよく見ておきなさい。ピーターの言う「アラート」を私はこんなふうに理解している。「警戒」はしても委縮しない自己のありようを選ぶこともできるのだ。そしてその先には，幸福すら自分でそうあることを選ぶことができるという可能性が広がっている。

ところでコロナ禍を経て世の中は大きく変わった。オンラインによる学習環境の充実もその一つである。アレクサンダー・テクニークのレッスンにおいてもオンラインを取り入れる教室が一般的になりつつある。言葉の問題さえクリアすれば，日本にいながらにして海外の教師のレッスンを受けられるいい時代になった。

本書が出版された2018年時点ではオンラインに否定的な書き方をしているピーターも，今ではそれを取り入れて活用しているようだ。もちろんリアルに場所と空間を共有してのレッスンとは比べるべくもないが，思考や心の領域は言葉で伝えられることも多くある。その意味でピーターのレッスンはオンラインに向いていると思う。本書の内容をより深めたい方のために，「アレクサンダー・テクニークのレッスンを受けるには」のページでピーターの連絡先を載せておいた。

最後に，本書の翻訳原稿の最初の読者となった妻の道子と共訳者の竹内いすゞさん，本の出版のために動いてくださった片桐ユズルさん，誠信書房の小寺美都子さん，ピーターとの出会いを作ってくれたボディ・チャンス校長のジェレミー，そして著者のサイン入りで原書を提供してくれた佐藤妙子さんに感謝申し上げる。

2022年11月

訳者　楠　洋介

【著者紹介】

ピーター・ノウブス（Peter Nobes）
1988年に初めてアレクサンダー・テクニークに触れて，1993年に教師資格を取得。以後，ロンドンを中心に精力的にレッスン活動を展開，3つの大陸の13カ国でワークショップを開催している（その中には日本も含む）。2005年からはATI（アレクサンダー・テクニーク・インターナショナル）のスポンサーメンバーを務めており，また2013年に自身独自のアレクサンダー・テクニーク教師養成コースを立ち上げた。
レッスンをしていない時には，木製のボート造りやアルゼンチン・タンゴ，リコーダーでバッハを奏でるなど人生を楽しんでいる。

【訳者紹介】

竹内 いすゞ（たけうち いすず）
豊橋創造大学と浜松大学（現常葉大学）にて非常勤でコミュニケーションを教える。2014年よりアレクサンダー・テクニーク教師。アレクサンダー・テクニークの学校ボディチャンスにて各国の教師の通訳をしている。
著書に『ちいさなおんなじのうた』（文芸社），訳書にアルマ・ダニエル他著『ひかりの天使…そして』（太陽出版）がある。

楠 洋介（くすのき ようすけ）
一橋大学言語社会研究科修士課程修了。アルジェリア，モロッコ，エジプトにて学び，国際協力事業に従事する。後にアレクサンダー・テクニーク教師と鍼灸師に転じ現在は都内治療院に勤務し，音楽家専門の施術をしている。アレクサンダー・テクニーク教師としては2018年より活動。
バジル・クリッツァー著『音が変わる！うまくなる！たのしい吹奏楽』『バジル先生の吹奏楽相談室［よくわかる指導編］［たのしく上達編］』（共に学研プラス）のコントラバスの項を分担執筆。

ピーター・ノウブス

日常(にちじょう)にいかすアレクサンダー・テクニーク
――すべてはがんばらなくてもできる

2023年1月15日　第1刷発行

訳　者　竹内いすゞ
　　　　楠　洋介

発行者　柴田敏樹

印刷者　田中雅博

発行所　株式会社　誠信書房
〒112-0012 東京都文京区大塚3-20-6
電話 03(3946)5666
https://www.seishinshobo.co.jp/

印刷／製本　創栄図書印刷(株)
落丁・乱丁本はお取り替えいたします

Printed in Japan
ISBN978-4-414-41488-2 C0011

音楽家のためのアレクサンダー・テクニーク
心と身体の使い方

ジュディット・クラインマン / ピーター・バコーク 著
嶋根淑子 訳

本当に効果のある練習の仕方、身体に無理をさせない楽器とのつき合い方、コンサート本番に向けた心身のメンテナンスなど、テクニークをさまざまな場面でどう活用し、実践するかを具体的に記した24章。読者はすぐにでも、自身の演奏にテクニークのアイディアを取り入れることができる。プロ・アマチュア問わず、音楽を愛し上達を願う、すべての音楽家必携の実践ガイド。

目　次

第Ⅰ部　序　　論
第Ⅱ部　基本的原則
第Ⅲ部　自分という楽器を調整する
第Ⅳ部　静寂と動き
第Ⅴ部　実　　践
第Ⅵ部　本　　番

A5判並製　定価(本体3000円+税)

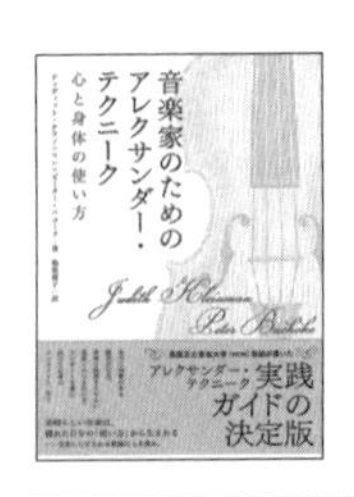

アイ・ボディ
[増補改訂版]
脳と体にはたらく目の使い方

ピーター・グルンワルド 著
片桐ユズル 訳

アレクサンダー・テクニークの理論に基づき、目と体と脳の密接な関係を、豊富な図版を用いて解き明かした注目の書。脳を意識的に使うことで目の機能を変え、目と視覚をコントロールしている脳の各部分の感覚を統合させる、ユニークな理論を紹介。今回の増補改訂版では、図版やレイアウトも一新し、情報をアップデート。また、最新の発見についての新章も加筆されている。

目　次

序　章　目と脳と体の関係に気づく
第１章　ある物語――もうメガネはいらない
第２章　視覚の機能
第３章　脳の視覚機能の基本的タイプ
第４章　アイボディの原理
第５章　アイボディ・メソッドと症例研究
第６章　目と体の関係
第７章　日常生活への応用
第８章　最初の一歩
第９章　今後の可能性
第10章　最新の発見

A5判並製　定価(本体2800円+税)

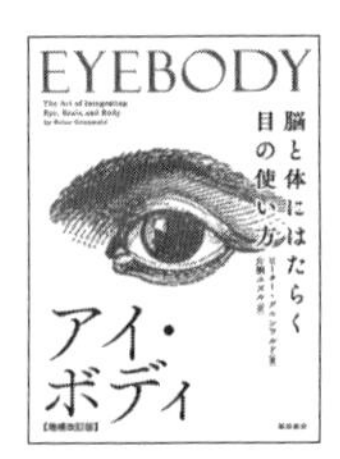